心理カウンセ…る

①秒で不安なくなる大百科

るろうに

（あらゆる「悩み・ストレス・疲れ」を吹き飛ばすリスト100）

SB Creative

はじめに

「人の顔色が気になって仕方ない・・・」
「将来のことを考えると、不安で夜も眠れない・・・」
「あの同僚は何であんな嫌みを言ってくるんだろう・・・」
「何で自分はあの人と比べてダメなんだろう・・・」

この本を手に取ったあなたは、そんな積もりに積もった心の「不安」をお持ちなのではないでしょうか？

そのどうにもできない、でもとてもつらい不安を取り除こうといろいろと試してきたと思います。中には、

「あなたはあなたのままでいい」
「全員に好かれようとしなくていい」
「周りの期待に応えなくたっていい」

といったような「自分らしく生きなさい」というメッセージによって心を癒やしてくれる本もあります。あなたも手に取ったことがあるのではないでしょうか。

しかし、このようなメッセージだけであなたの心は本当に軽くなりましたか？もしかすると、一時的には軽くなったかもしれませんが、すぐにまた不安が押し寄せてきたのではないでしょうか？

この本では、心の苦しみを取り除きたいといろいろなことを試してきたけどうまくいかなかったあなたに、本当の意味で不安をなくすための解決策を示したいと思っています。

「自分らしく生きなさい」だけでは、不安はなくならない

僕はこれまで精神科のストレスケア病棟や地域の保健センターに勤務し、老若男女、ちょっとした心の悩みを持った人から入院が必要なほどの重篤なうつ病を患った人まで延べ3000人以上の相談者にお会いしてきました。

その経験から思うのは、たしかに、人が心を苦しめているとき、その多くは背景に「こうしなきゃいけない」という“執着”があります。代表的なものだと「人の期待に応えなきゃいけない」と思い込み、心を苦しめてしまうケースです。

ですから、多くの書籍で語られている「自分らしく生きなさい」というメッセージは、この“執着”を手放すための助けになる素晴らしい内容だと思います。

しかし、その反面、多くの人の心には「とはいえ、周りの目を気にせず自分の意見なんか本当に言っても大丈夫なのか・・・」だったり、「とはいえ、かえって人間関係がギクシャクするのではないか・・・」という気持ちが生まれるのではないでしょうか。

そして、「言っていることは正しいと思うけど、どこか腹落ちできず不安で行動に移せない」となり、結局は“執着”を手放すことができないのです。

ではどうすればいいのでしょうか？
それは、**“執着”を手放すメリットまで含めて理解することです。**
「人の期待に応えなくたっていい」という心構えだけでなく、「人の期待に応えないことによるメリット」まで含めて理解することです。そうすれば、あなたは本当の意味で“執着”を手放し、心の平穏を手に入れることができます。

詳しくはChapter2-1に譲りますが、実際、**心理学的に、人は他人の頼み事を無理に引き受けすぎてしまうと、なめられてしまうという傾向があります。頼み事は適度に断るほうが、むしろ周りから大切に扱われるようになるのです。**

このように“執着”を手放すことのメリットまで理解できれば、「とはいえ・・・」という“執着”を手放せないネックとなる気持ちもなくなり、大いに“執着”を手放せるのではないでしょうか。

本当の意味で不安がなくなる本

本書では、全て合わせて100項目の悩みを扱いました。もちろん、全て読む必要はありません。この中の1つだけ、あなたに合う項目が必ずあります。それさえ読めば、あなたの不安は一瞬でどこかに行ってしまうでしょう。

それぞれの項目には、それぞれの悩みを解決するための「自分らしく生きる」メッセージだけでなく、全てに「自分らしく生きることのメリット」まで網羅しています。

また、そこには、僕のこれまでのカウンセリングなどによる経験から得た知見や心理学の研究によるエビデンスをできる限り豊富に記載しています。

Chapter1では、僕の過去のカウンセリングなどによる経験から「こうしなきゃ」という思い込みを手放したほうがよいメリットについてお伝えします。
Chapter2では人間関係においてよくある悩み
Chapter3では仕事においてよくある悩み
Chapter4ではプライベートにおいてよくある悩み
Chapter5では家族・恋愛においてよくある悩みを取り上げて、自分らしく生きられるようになるためのノウハウなどをまとめています。

まずは、「こんな考え方もあるんだな」という気楽な姿勢で、あなたの今の考え方に＋1cm、ほんのちょっとだけ新しい視点を取り入れてみてください。
そして、100項目の悩みの中からあなたが「これは自分に合いそうだな」と思ったものをピックアップして明日からの生活に取り入れてもらえたらと思います。

この本で紹介していることが全ての人にとって唯一絶対の正解というわけではありません。考え方や行動の正解というのは人の数だけ存在します。「これをやれば自分が生きやすくなるな」と思えるものを選んで実行していくことが大切だと思っています。

僕は知識のインプットと行動によるアウトプットはセットにして初めて真価を発揮するものだと思っています。本書を読んで終わりではなく、できれば自分がいいなと思ったものはできる限り実行してもらえたら嬉しいです。

あなたの抱えている問題はきっといろんな要因が複雑に絡み合っていて、簡単にはコントロールできないものなんだと思います。その問題は、行動を起こしてすぐに解決できるかもしれないし、できないかもしれません。

ですが、行動を起こさずにずっと困った状況の中で悶々（もんもん）とし続けるか、結果はどうであれ行動を起こして「自分だってやる時はやれるんだ」と誇らしい気持ちが生まれ、自分に自信が持てるようになるかどうかはあなた次第です。

自信がつけばそれが次の行動へとつながり、いつかはあなたの不安を解消してくれるでしょう。

僕は本書を通じてあなたの人生を変える行動を起こすきっかけになれたらと思っています。

過去と他人は変えられませんが、未来と自分は変えられます。

あなたの中に眠っている行動する勇気を呼び覚まして、自分の人生をよりよいものに変えてみませんか。

※本書に記載された事例はプライバシー保護のため、これまで臨床現場で出会ってきた様々な事例を複合する、設定を一部改変するなどで創作した架空のものです。

もくじ

Chapter 3 仕事

Chapter 4 プライベート

Chapter 5 家族・恋愛

Chapter

1

その不安のもとは
全て、
妄想にすぎない

3000人をカウンセリングしていて気づいたこと

これまでお会いしてきた3000人以上の相談者は生まれや生い立ち、抱えている問題など、本当に様々でした。

カウンセリングを受けてたくさんの方が悩みを解消していった一方、問題解決に向けてなかなか動けなかったという相談者もいました。

その中には「自分の問題が何かはなんとなく分かっている、解決のために必要なことにも察しがついている、でも行動に移せない」という方が非常に多い印象を持っています。

そして、そのような思いを抱えた相談者が持っている「ある一つの共通点」に気づきました。それは**世の中の常識や他人から言われたことに影響されて生まれた「こうしなきゃ」という思い込みに縛られて、自分らしく生きていけていない**ということです。

「上司からパワハラを受けていて会社を辞めたい、でも会社に一度入ったからには逃げちゃいけない」
「夫と一緒にいるのはしんどいから離婚したい、でも結婚したからには生涯寄り添い続けるのが妻の役目」
「たまには子どもを誰かに預けて友達と遊びに行きたい、でも一人で楽しみに行くなんて母親失格のような気がする」

こんなふうにその人が持っている「こうしなきゃ」という思い込みによって、嫌なものから逃げられない、もっといい人生に向かって進むことができない人は多いのです。

なぜ世の中の常識や周りの目といった檻（おり）の中から抜け出せない人が多いのか。それは日本人の「**周りと同じようにするのが正解**」や「**自分のことよりも他人を優先すべき**」といった考え方が背景にあると思っています。

僕たち日本人は幼少期から同調性や協調性を重んじられる教育を受けています。自分一人が特別目立つことをするよりも、周りと同じことを同じようにするのが当たり前だとされてきました。そして他人に迷惑をかけないようにすることが大事だと言われてきました。

そういった中で、子どもたちは自然と「**空気を読んで自分の意思よりも周りを優先して、みんなと同じように行動するのが良いこと**」という意識が芽生えてきます。

こういった意識には**「集団凝集性」**と呼ばれるグループ内のメンバー同士の結びつきを自然と強くする傾向があります。そして**集団凝集性が高くなるほど、グループの和を乱したくないという心理が働きやすくなります。**

こうなると、自分の本心はグループとは違う意見だったけど、批判されることや仲間外れにされることを懸念して多数派の意見に合わせざるを得なくなってしまうんです。

僕が以前お会いした30代男性のウミノさんは、いわゆる会社の飲みニケーションに悩んでいた方でした。

ウミノさんは「上司に飲み会に誘われたらプライベートの用事を断ってでも行くべき」「上司の機嫌を損ねたら出世のレールから外れることになる」と思って、行きたくない飲み会に我慢して参加していました。

上司はとてもお酒好きだったようで、ウミノさんは毎週のように「今日仕事終わったら飲みに行くぞ」と誘われていました。

上司は酒癖の悪い人で、酔ってくるといつもウミノさんに「お前の仕事のここがなってない」「昔はもっと仕事が多くてみんな残業して頑張っていたんだぞ！」と小言を言っていたようです。毎回帰りが深夜になって体力的にもつらくなり、飲み代もかかるためずっと行きたくないと思っていました。

しかし、ウミノさんは既に結婚していて、子どもも生まれたばかり。「万が一、左遷されたら・・・」という不安がありました。会社の先輩に相談しても「みんな同じように我慢してるんだよ」「飲み会だってサラリーマンの仕事のうちだろ」と言われるだけでした。

ウミノさんの境遇は決して珍しいものではありません。多くの人が周りと同じように社会の中で誰かに言われたルールに縛られて行動するという「こうしなきゃ」にとらわれています。

自分の本心を隠して周りに合わせ、気をすり減らしながら生きていくというのはとてもつらいことですよね。

「こうしなきゃ」が強くなればなるほど、他人に言いたいことを言って本当に自分がやりたいことをやるという人生が歩みづらく、心には小さな傷がついてしまいます。

【無意識の「こうしなきゃ」に気づこう】

Point

まずは自分の中にある無意識の「こうしなきゃいけない」に気づくことから始めよう。

心が苦しい人のほとんどは、「受け入れる」ができない人ばかり

世の中で苦しい思いをしているほとんどの人は「こうしなきゃ」を手放して、「自分はこれでいいんだ」と思える生き方を「受け入れる」ことができずに悩んでいます。

世間の目や常識に従わざるを得ず、自分の意思を我慢してグッと押し込めて、どこか不本意な思いをしながら「その他大勢のうちの一人」として毎日を生きています。

そしてふとした時に「一度きりの自分の人生、本当にこれでいいんだろうか・・・」という考えが浮かんで落ち込んでしまう。

でもどうしようもなくて、また明日からも同じ生活を繰り返さざるを得ないというのは苦しいですよね。

なぜ「こうしなきゃ」という常識に縛られなくたっていいと考え、自分らしい生き方を受け入れることができないのか、それは**「周りのみんな」から外れることが怖いから**です。

みんなと同じようにしていれば基本的に波風は立たない、大きな失敗をすることもない、誰かに後ろ指を指されることもない。

「社会的証明」といって、**人は何かを選択しようとする際に、多くの人からも支持されていると知ることで安心感を得られる傾向**があります。周りと同じ選択をすることは、仲間外れにされることもないし、先の見通しが持てるから安心できるんです。

一方、自分だけが「こうしなきゃ」を手放して周りと違う行動をとるということは**「これからどうなるか分からない、つらい思いをするんじゃないか・・・」という不安を伴う**ものです。

たとえば、今でこそ日本でも転職を経験する人が増えていると言われていますが、いまだに一度入った会社を中途退職するというのはどこかネガティブなイメージを持たれます。

こうした状況は「嫌な仕事、つらい仕事でもじっと耐えるべき」や「転職なんて根性のない人がやるもの」といった偏った考え方が背景にあるのだと思います。

もう仕事がつらくて辞めたいと親や会社の先輩に相談しても「ここでやめたら逃げ癖がつくぞ」や「仕事はつらいもんだろ！甘いことを言うな！」などと言われます。

きっと親や会社の先輩もあなたにつらい思いをさせようとしているわけではなく、彼らなりにあなたのためを思って言っているのでしょう。

ですが、その言葉も結局は「こうしなきゃ」という世間の常識にとらわれたものです。
残念ながら、こういう場面であなたがどれだけつらい思いをしているか、本当はどんな人生を歩みたいかということに真剣に耳を傾けてくれる人がいったい何人いるでしょうか。

僕は「仕事は苦労したほうがいい」なんて根性論には根拠がないと思っています。同じ時間働くのであれば、少しでもその人にとって楽に生産的に仕事をこなし、心地よく働けるほうがよいに決まってます。

もちろん、自分の適性についてきちんと考えないまま何でもかんでも着手しては簡単に放り出してばかりでもよいというわけではありません。

ですが、合わない環境で我慢し続けるのではなく、今より楽しく働けるところに転職をするのは、自分の人生を充実させる手段としてもっと使われるべきだと考えています。

それでも現実には「とはいえ家族に何て言われるか・・・」「とはいえ上司や同僚からどう思われるか・・・」という思いを抱え、なかなか一歩を踏み出せない人が多いことも分かっています。

この本を手に取ってくれている読者の中にも、仕事が嫌だ、金曜日になるのが楽しみ、月曜日の朝は憂うつで職場に行く足取りが重い、という人もいるのではないでしょうか。

自分らしく生きるというのは、ある意味「周りとの差別化を図る」ことです。それは多くの人にとってとても難しい行動です。

今までの人生はみんなと同じようにするのが当たり前だった、それなのにみんなの輪から外れて違う道を歩むというのは、ある意味**正解のない生き方に方向転換する**ということです。

家庭では親と同じようにすれば同じように生きられる、会社では上司や先輩と同じようにすれば同じキャリアを歩める。一方で、そういうお手本がなく、どうなるか分からない状況はとても怖いものです。

心の底では「こうしなきゃ」を手放したい、でも怖くて手放せない。

「誰に何と言われようと自分のやりたいことをやる」
「他人からの評価は気にしなくていいんだ」

そんな考えを受け入れたいと思いつつどうしてもそれができない、こんな人たちをどう支援するかは僕の中での大きな課題でした。

Point

自分らしく生きるとは「周りとの差別化を図ること」。「こうしなきゃ」を手放して自分だけの人生を歩もう。

受け入れないまま何かをしても心理学的には逆効果

では「こうしなきゃ」を手放せず、自分らしい生き方を受け入れないままでいるとどうなるのか。また「このままではダメだ」と思い、周りの目を気にしながらも行動だけ変えてみたら自分らしく生きることはできるのでしょうか。

残念ながら、おそらく多くの人にとっては**自分らしさを発揮できずに終わる**という結果になるでしょう。

みんなと同じ行動をとらず一人だけ別の道を歩むというのは長期的に見て自分の人生をよりよいものにしてくれます。

ですが､「こうしなきゃ」という思い込みが根強く残っていると、周りからのネガティブな反応が返ってくることや、世間から外れた自分を信じることができず「本当に自分はこれで大丈夫なのか・・・」という思いが出てきやすいのです。

なので、**行動をする前に「こうしなきゃ」を手放して「自分の人生はこれでいい」と受け入れたほうがいい**のです。

なぜ「こうしなきゃ」を手放さず自分らしく生きることを受け入れないまま行動してもダメなのか、それは**心の中で不安が募り、理想の自分に向かって進めなくなるから**です。

周りとは違う行動をとって自分らしく生きようと思っても、いざやってみると「本当にこんなことをしてても大丈夫なのかな・・・」という不安が押し寄せます。

また、会社などのコミュニティに入っていると、周りの目が気になってきたりもします。

たとえば、「若いうちは苦労してガンガン働くもんなんだ！」などと言う上司がいる会社で、毎日終電間際まで残業しなければならなかったとしましょう。
毎日の長時間労働で心も体も疲れ果てている、本当は早く帰って家族と温かいご飯を食べて、まだ小さな子どもと一緒に遊びたい・・・。

そして「子どもが小さい時期は今しかない！もう残業せずに帰る！」と一念発起して、定時になったらすぐに帰るようにしました。

たしかに早く家に帰れば家族団らんの時間を過ごせ、夜も早く眠れるから体調もよくなり、本人にとって幸せな時間を過ごすことができます。その一方で、だんだんと社内の空気が変わり、同僚からの目が気になってきます。

「あいつは上司の方針に反して早く帰宅している」「本当は自分たちだって早く帰りたいのにあいつだけずるい」と同僚の目が厳しくなってきます。これは**「内集団バイアス」**が関係していて、**人は自分が所属する集団（残業する社員）には肯**

定的な評価をしやすい反面、外の集団（定時帰宅する社員）には対立的な行動をとりやすいのです。

やがて「自分は社会不適合者だと思われるんじゃないか・・・」と不安になり、残業している同僚たちを横目に「お先に失礼します」とは言いづらくなってきます。

こうしてプレッシャーに耐えきれず、家族に申し訳ないと思いながら同僚に後ろ指を指されないよう、また残業するようになります。

家族との時間を大事にすることが自分にとって価値ある人生の一部だったのに、自分が本当にやりたいことを優先できなくなってしまうのです。

こうやって**本当は自分にとって重要なことだったのに自分を信じられず行動をやめてしまう**、「こうしなきゃ」を手放せず受け入れないままでいることの弊害はここにあります。

定時帰宅を続けていれば子どもの成長を間近で見守ることができ、多少仕事が大変でも、家族と一緒にご飯を食べる楽しみが仕事を乗り切る活力にもなります。

行動を続けていれば自分らしい人生を送ることができるはずだった、なのに途中で諦めてしまい、また「こうしなきゃ」にとらわれることに逆戻りしてしまいます。

僕は周りに歩調を合わせ、足るを知るという人生を送ることを決して否定するつもりはありません。人生の価値観は人それぞれですし、様々なメリット・デメリットを天秤（てんびん）にかけて納得して選んだなら、その生き方が正解だと思います。

ですが、**自分が心の底から納得して選んだことと、「こうしなきゃ」という思いからムリヤリ自分を納得させて選ばざるを得なかったことは違います。**

心の悩みの多くは「こうしなきゃ」への執着から生まれます。なので**「こうしなきゃ」を手放し、「自分らしく生きてもいい」ということを受け入れる**ことが大事なんです。

【「こうしなきゃ」に縛られた自分と決別しよう】

Point

迷いが生じても、行動を続けることが大事。

「こうしなきゃ」は、心理学的にはただの「妄想」にすぎない

これまで当たり前のように「こうしなきゃ」に従って生きてきた人にとっては、それを手放して生きるなんて無理だと思っていることでしょう。人目を気にせず本当にやりたいことをやって自分らしく生きるなんてただの理想論だと思っているかもしれません。

ですが、ほとんどの場合**「こうしなきゃ」は手放しても大丈夫**なものです。なぜなら、**他人から言われたことはあくまでもその人の価値観から言っているにすぎないから**です。

世の中には絶対的に正しい価値観なんてものはありません。人それぞれ違う親に育てられ、様々なことを経験していく中でその人固有の価値観が作られます。

そして多かれ少なかれ、人は自分が持っている価値観は正しいものだと思いがちです。心理学では**「確証バイアス」**といって、**人は自分にとって都合のいい情報ばかりを無意識に集める傾向**があるからです。

自分の価値観に合う情報を優先的に集めて「やっぱり自分は正しかった」と思い、逆に合わない情報を目にしてもなんだかんだと理由をつけて否定してしまうので、新たな価値観

にアップデートされにくいのです。

また、**周りの常識をうのみにせず、他人とは違う行動をとった結果どうなるかはほとんどの人が検証していません。**

今いるコミュニティの中で常識とされていたことが、他のコミュニティでは非常識だったというのはよくあることです。なのに、外の世界に触れたことがない人はその非常識に気づかないものです。

たとえば、30代女性のヨシモトさんは旦那さんと1歳のお子さんと3人で暮らしている人でした。ヨシモトさんは幼少期から母親が専業主婦をやっていて「結婚したら女の人が家を守るものなのよ。私は友達と遊びに行かずお父さんとあなたのために毎日家事をしていたわ」と言われてきました。

たしかにヨシモトさんの母親は献身的に家族に尽くしてきた人でした。一方、ヨシモトさんは母親と違い看護師として病院でパートの仕事をしながら子育てもしていました。パートとはいえ看護師の仕事は人の命を預かることもあり、体力的にも決して楽ではありません。

仕事と家事育児で大変な思いをしているヨシモトさんは時々「たまには私も友達とご飯を食べに行きたいな」と思っていました。ですが、「フルタイムで働いて疲れている旦那に子どもの世話を頼むなんて母親失格だし申し訳ない」という気持ちがありました。

同じ病院で働く看護師の同僚はヨシモトさんの母親と同じくらいの年代の人が多く、みんな仕事と家庭を両立してきた人たちばかりでした。なので、ヨシモトさんは「私は子どもが自立するまでずっと遊ぶことなんて許されないんだ・・・」と思っていたようです。

ですが、ある時旦那さんの転勤が決まり、ヨシモトさんは病院を辞めて老人ホームで働くことになりました。老人ホームはヨシモトさんと同年代の若い看護師が多い職場でした。

そこで同僚の看護師たちにストレス発散をどうしているか聞いてみると、なんとほとんどの人が月に１～２回は夫に子どもを預けて友達とランチ会などをやって楽しんでいるとのことでした。「共働きなんだし、夫婦がどっちも自分の時間を大切にするのは当たり前だよね」という風潮だったのです。

後日、ヨシモトさんも勇気を出して旦那さんに次の休日に子どもの面倒を見てもらえるか頼んだところ、旦那さんは快く「たまには羽を伸ばしておいでよ」と言ってくれました。

それからヨシモトさんは定期的に老人ホームの同僚と一緒にご飯を食べながら楽しむ時間を作れるようになったとのことです。

このように、周りの人が言っているからという理由で「こうしなきゃ」にとらわれる必要はありません。**「こうしなきゃ」を手放したらどんなことが起きるのかと不安になるかもしれ**

ませんが、実際には心配していたほど不都合はないことがほとんどです。

もちろん、どんな物事にもメリットもあればデメリットもあります。**「ネガティビティ・バイアス」**といって、**人はどうしてもポジティブなことよりもネガティブなことのほうに注目しがち**です。だからどうしても行動した結果のリターンよりもリスクのほうを大きく捉える傾向があります。

ですが、**実際には「こうしなきゃ」を手放して自分らしく生きられることにつながれば、メリットのほうが上回ることが多い**のです。

自分の現状を変えるために一歩踏み出すのは勇気がいることですよね。

なかなか一歩を踏み出せないままだと実感するのは難しいですが、**ひとたび行動してみればリターンのほうが大きいことはすぐに分かります。**

つまり、**「こうしなきゃ」という思い込みは単なる妄想**だったということです。そして**妄想というのは自分次第で捨てることができる**ものです。

Point

周りと違う道に行っても、大抵不都合なことは起きない。

むしろ「妄想」はなくすほうがメリットが大きい

「こうしなきゃ」という妄想を捨てることができれば、**本当に自分がやりたかったことができる**ようになります。具体的には次のようになると考えています。

①人目に怖（お）じ気づくことなく自由に生きることができる

人目を気にするとどうしても周りから笑われたり後ろ指を指されないようにすることが優先されますが、**妄想を手放せば人目を気にせず行動できる**ようになります。

「こんなことをしたらどう思われるだろうか・・・」と考えると、やりたいことを我慢して周りに合わせなければいけなくなりますよね。ですが、自分のやりたいことができるようになれば、幸福度はどんどん上がっていきます。

たとえ無理だと言われようと、未経験の新たな仕事に挑戦してみたっていい。人生は一度きりです。周りにとっては無理でも、あなたにとって無理とは限りません。世の中には90歳を過ぎてSNSをやり、多くの人から支持を集めて人生を謳歌（おうか）しているインフルエンサーがいます。周りがどう思おうとあなたはやりたいことをやっていいんです。

たとえ他人から肯定的な意見が返ってこなかったとしても、それはその人にとって良いと思わなかったということにすぎません。無視をするのでもなく、うのみにするのでもなく参考程度に聞いておけばいいんです。**あなたの人生はあなたが良いと思えればそれで正解**なんです。

②他人のために自分を犠牲にしすぎなくなる

これまでは何か問題が起こった時に「自分が我慢すれば周りは丸く収まる」と考えて、嫌な思いをしながら自分を犠牲にしていたかもしれません。ですが、**あなたはもっと自分優先でいい**んです。「こうしなきゃ」が減れば減るほど、自分一人が我慢してストレスを溜(た)めることがなくなっていきます。

たとえば、会社の給湯室を同僚と一緒に使っていれば、当然給湯室は少しずつ汚れていきます。そんな時、自分を犠牲にする癖のある人は、自分だけが家から掃除道具を持ってきて、一人で給湯室を綺麗にします。

最初のうちは綺麗になった給湯室を見て、みんながあなたにお礼を言うでしょう。ですが、それが２～３カ月も続けば、みんなにとってあなたが給湯室を綺麗に掃除することは当たり前になってしまいがちです。

もう「誰かがやらないと、だから自分一人でやらなきゃ」と思う必要はありません。みんなで使う給湯室ならみんなで綺麗に掃除するのは当たり前です。掃除を当番制にしようと提案してみてもいいし、忙しくて時間がないならみんなでお金を出し合って清掃業者にお願いしたっていいんです。

③嫌な人と一緒にいる時間を減らし、一緒にいて心地よい人との時間を増やせる

「大人はどんな人とでもうまくやっていかなきゃいけない」とどこかで言われたことがあるかもしれません。そうやって嫌な人とでも一緒にいて無理に笑顔を作ってきたかもしれませんが、**あなたはもっと自分にとってプラスになる人との時間を大切にしていい**んです。

嫌なら会社の飲み会だって行かなくていいし、ご近所さん同士の集まりだって毎回顔を出す必要はありません。仲の良かった友達同士で作ったLINEグループも、毎回その会話に入る必要はないし、嫌なのであればグループから脱退したっていいんです。

今まで嫌な人に使っていた時間を減らし、その分を家族、恋人、親友と過ごす時間にあててみてください。きっとあなたのストレスは劇的に減っていくはずです。

こういうことを言うと「そんなの分かってるよ！それができないから苦労してるんだよ！」と思うかもしれません。ですが**「嫌な人とでも付き合わなければいけない」というのもただの妄想**なんです。あなたの貴重な人生の時間を嫌な人たちばかりに使う必要はないんです。

④自分を他人と比較することなく「自分の人生はこれでいいんだ！」と思える

「こうしなきゃ」を手放せば「**他人がどんな生活をしていようと自分が幸せであればそれでいい**」と考えることができる

ようになります。

他人との比較はどこまでいっても際限がありません。周りよりも年収が多いことを自分の幸せの基準にしたとしても、自分より高年収の人なんていくらでもいます。

周りの人たちをあなたとの競争相手だと思わなくていいんです。人それぞれの幸せの形があって、みんながそれに向かって頑張っている。だからあなたも**あなたがどうなったら幸せなのかを考えて、それに近づくために頑張れば大丈夫**です。

あなたの評価を決めるのはあなた、あなたの感情を決めるのもあなたです。

【妄想を手放した先に本当の幸せがある】

Point

妄想を手放せば、あなたにたくさんのメリットがある。

Chapter 2

人間関係

Chapter 2-1

優しくしすぎなくたっていい

――なぜなら心理学的には、適度に優しい人のほうがむしろ価値があると見られるから

人に優しくするというのは人間関係の中でとても大事なことです。周りといい関係を作っていけば困ったことが起きても助け合えて、自分の心にある不安を解消できるからです。

ですが、人に優しくしなきゃという気持ちが強すぎると、他人を優先しすぎて自分に優しくすることができず、それが周りからも優しく扱われなくなる原因になってしまうことがあります。だから**適度に優しいくらいがちょうどいい**んです。

たとえば、あなたが会社で同僚から「悪いけどこの仕事手伝ってくれない？明日までにやって」と言われたとします。ですが、実は自分が抱えている仕事も忙しくて余裕がない、でも優しすぎる人は仕事を引き受けて、自分の仕事は残業して片付けてしまったりします。

いつもこうしていると、周りからは「しめしめ、この人は多少無理なことを言っても引き受けてくれるんだな」と思われ、なめられることになりやすいです。なめられてしまうと、残業してまで周りの仕事を引き受けているのに、あなたが困っている時には周りからは全然手伝ってもらえないという悲しいことになってしまいます。

だから、**他人に優しくするのは自分に余裕がある時だけで**

十分です。

「とはいえ、自分を犠牲にしてでも相手に優しくしないと関係がギクシャクするんじゃないか？」って心配になる人もいるんじゃないでしょうか。でもそんなことはなく、**適度に優しいほうが相手との関係もよくなる**んです。

「返報性の原理」といって、**人は他人から親切にされると自分もお返しをしようという心理が働きます。**でも、過度に自分を犠牲にし続けていると、返報性の原理が効かずに「この人はお返しをしなくてもいい人だ」となめられてしまうんです。

先ほどの仕事の例であれば、「今は手が離せないので、この仕事が片付いたらお手伝いします」と断ればいいんです。そうすると、相手は「この人にお願いをする時は忙しいかどうかを考慮しなきゃいけないな」と思うようになります。そしてあなたに手伝ってもらうことは「忙しい時間を割いてもらっている」という価値があるものだと認識されます。

自分を安売りしすぎず相手に自分の価値を感じてもらえれば、相手から感謝されてなめられなくなるというわけです。そうなれば、今度はあなたが困った時にも助けてもらうことができるでしょう。

Point

「他人だけでなく自分にも優しくする」という姿勢が大事！

Chapter 2-2 自分を後回しにしなくたっていい

──なぜなら心理学的には、自分を優先している人のほうがうまく人間関係を築けるから

「他人と良い関係を作るには、自分のことは後回しにしなきゃ」と思っている人も多いです。もちろん、自分のことしか考えずわがままばかり言っていたら社会は成り立ちません。

ですが、他人を優先しすぎると自分の心を疲弊させてしまうことにもなりやすいんです。だから、**苦しい思いをしているくらいならもっと自分優先になっていい**んです。

世の中にはどれだけこちらが親切にしても、全く見返りのない人がいます。たとえば、テイカー（Taker）といって、give & take の take しかしない、つまり他人から与えてもらうことばかり考えている人がいます。

残念なことに、自分を後回しにしてテイカーを優先すれば、それを当たり前だと思い感謝もされません。そういう人と付き合い続けると自分を消耗させてしまいます。

もし**あなたの身近にテイカーがいたら、なるべく関わらないほうがよい**と思います。たとえテイカーに何かをお願いされても、あなたにとってあまりにも負担の大きな要求だったとすれば、**それはできないとはっきり断ることをお勧めします。**

「とはいえ、自分を優先してわがままになっていたらテイカー以外の人からも印象を悪くするんじゃないか？」と気に

なる人もいるかもしれません。

たしかに、わがままばかり言うのはよくないですが、**自分の意思をはっきりさせることは良い人間関係を作るきっかけになる**んです。

心理学では「**自分で自分を扱うように、他人も自分を扱う**」と言われています。つまり、**自分で自分を大切に扱うことで、他人も自分を大切にしてくれる**ということです。

「人に迷惑をかけちゃいけない」ではなく、「迷惑をかけるのは当たり前なんだからお互い様」と考えてみると、自分の負担も減り人間関係もよくなっていきます。心当たりのある人は試してみてください。

【思い切ってテイカーとは距離を置こう】

Point

自分優先になれば他人も自分に親切になる。

Chapter 2-3 全員に自分を合わせなくていい
——なぜなら心理学的には、一貫している人のほうが好意を持たれるから

相手の意見を否定すると傷つけて嫌われるんじゃないかと心配になったりしますよね。だから「相手の意見に合わせておかなきゃ」と言いたいことがあっても言わないままにしてしまう。ですが、**人間関係においては自分の意見をしっかりと持っておいたほうが好感を持たれやすい**んです。

もし、あなたの意見に対して何でも「Yes」と言う人がいたらどう思うでしょうか。最初のうちは「自分と意見が合う人なんだな」と好印象を持つかもしれません。

ですが、いつもYesと言われることが続くと、相手に対して「あなたの意見はどうなの？本当はどう思っているのか聞かせてほしい」と思うのではないでしょうか。自分の意見を持たず「ただこちらに合わせていればいいと思っているんじゃないの？」とその人の言葉を信用しづらくなってしまうかもしれないですよね。

また、もしあなたが何かのコミュニティに属していれば、メンバー間の意見が対立することも珍しくありません。その時、Aさんの前ではAさんの意見を支持しているのに、Bさんの前でBさんの意見を支持するというつじつまの合わないことをしていたらどうなるか。

そうやって不自然に意見を合わせていると、「あの人は人を見て態度を変えている」と思われて、印象が悪くなる可能性があるんです。それってすごくもったいないですよね。

でも「やっぱり相手と違う意見を言うと相手の機嫌を損ねて印象を悪くするんじゃないか」と思う人もいるかもしれません。ですが、こういう心配はあまりしなくてもいいと思っています。

心理学には**「一貫性の原理」**というものがあります。これは、**人は「この人はこう考えているだろう・行動するだろう」というふうに予測がつく人のほうが好かれるし信頼されやすい**という傾向です。

自分の意見やスタンスを明確にしているほうが、「自分もそう思う！」とあなたに共感してくれる人が集まってきてくれます。

逆に「あの時こう言ってたじゃん！」と他人に言われるくらい言動に矛盾があると信頼を損ねてしまいます。だから無理に相手の意見に合わせる必要はないんです。自分が違うと思うことは違うと伝えても大丈夫です。

Point

普段から言動に一貫性がある人は好感を持たれやすい。

Chapter 2-4 「全部のお願いを聞かなきゃ」と思わなくたっていい

——なぜなら心理学的には、断れる人のほうが見下されないから

優しい人はつい相手のお願いを聞きすぎてしまい、自分のことが後回しになりがちです。もちろん相手を思って、他人優先に行動する姿勢は素晴らしいものです。

でも、自分のことがおろそかになりすぎて苦しい思いをしていませんか？だったら、**たまにはお願いを断ったっていい**んです。

僕が今までお会いしてきた、とても優しくて素晴らしい人間性を持っているにもかかわらず、どこか苦しい思いをしている人には､ある誤解をしているという共通点がありました。

それは**「相手を尊重する＝自分が無理してでも相手の要求に応える」という誤解**です。

たしかに人間関係の中では、相手が何をしてほしいかを聞き入れて、それに応えていくというのは大事なことです。ですが、何でもかんでも周りの要求に応えていたら、あなたはいくら時間があっても足りなくなります。

それにいつでも相手の要望に応えるというのは、相手からすると「いつでもこちらの都合に合わせて行動してくれる人」だと思われてしまいます。たとえ相手の中でそういった自覚はなかったとしても、無意識のうちにあなたを都合のいい人

だと認識してしまうんです。

ここであなたに覚えておいてほしいのは、**相手の欲求に100%応えなかったからといって、あなたが相手を尊重していないわけではない**ということです。

誰でも一日に使える労力や時間といったリソースは限られています。また、どこまでは許容できるか、どこからは我慢できないかなどのキャパシティも人それぞれです。

あくまでも、**あなたはあなたができる範囲で相手の要望に応えればいいし、無理ならNoと言ったっていい**んです。

あなたが負担に思うほど要望の多い人は、そもそも他人に対する期待があまりにも大きすぎるんです。「私のためにこれくらいのことはしてくれるよね？」と相手の都合を考えず、勝手に大きな期待をしてしまっています。

もしこういう人の要望を断って「いつもやってくれるのに！」と相手が怒るようであれば、**それは相手がわがままなだけで、あなたが悪いのではありません。**残念ながら、他人への配慮が足りていない幼稚な人なのかもしれませんね。

あなたが忙しかったり、余裕がない時には、できる限りあなたの労力や時間をあなたのために使ってください。**これは冷たいことではなく、自分と他人を両方とも大切にするための大事な心がけ**です。

Point

他人の期待を全て満たさなくても大丈夫。

Chapter 2-5

マウントを取る人の言葉を真に受けなくていい

――なぜなら心理学的には、その人は自分で自分の自尊心を持てないくだらない人だから

あなたの身の回りにはいつも何かとマウントを取ってくる人はいませんか？マウントを取るというのは「自分のほうが上なんだぞ！」というアピールをすることです。自分を大きく見せようと「国立有名大学の出身」や「一部上場企業に勤めている」と自分のステータスや実績などをアピールしてきます。

時にはその人と比べて自分は劣っていると落ち込んでしまうかもしれませんが、**マウントを取ってくる人の言葉なんて気にしなくても大丈夫です。**

マウントを取る人っていったい何を考えていると思いますか？**マウントを取る人というのは承認欲求が強い人なんです。**承認欲求というのは「周りからすごいと思われたい、認められたい」という欲求です。

そして、マウントを取ってくる人は承認欲求が人一倍強いのに、その裏では自信がなくて不安でたまらない人なんです。自尊心を保てなかったり、努力して自分の価値を上げることができなかったりします。

一方、人間なら誰でも「自分には価値がある」と思いたい

ものです。だからマウントを取って「お前より俺のほうが勝っている」と思えれば自分のプライドが守られるんです。

こうやって他人の価値を落として相対的に自分のほうが優位に立とうとすることを**「引き下げの心理」**といいます。

マウントを取る人は周りの目を気にしてちっぽけなプライドを守ろうとしているかわいそうな人なんです。だから、何か自慢されても**「へぇーそうなんですねー」とだけ言ってスルーしておくのがいいです。**

【スルーするスキルを身に付けよう】

Point

マウントを取られたとしても、本当の意味で勝っているのはあなた。

Chapter 2-6

「自慢をしてはいけない」と思わなくたっていい

——なぜなら心理学的には、「過去に比べて成長できた」という自慢なら好感を得られるから

せっかく頑張って何かを成し遂げたのにそれを周りに自慢してはいけないと思ったりしていませんか？たしかに、どんなにすごい実績だったとしても、一般的に自慢というのはあまり良い印象を持たれないですよね。

一方で、あなたがどんなことをしてきたのか周りにアピールしないと、せっかくのあなたの魅力が伝わりません。**実は、言い方を工夫すれば自慢したって構わないんです。相手からの印象を悪くせず、むしろ好感を得ることだってできます。**

他人から一目置かれるような実績を残しても、それを周りに「どうだすごいだろ！」とばかりに自慢してしまっては、なんだか台無しになってしまう感じがします。

でも、あなたのいいところをアピールしないのはもったいない！この本を読んで人間関係について勉強しようとしているあなたは、それだけで十分魅力的な人です。なので、あまり気にしすぎることなく、自分をアピールして大丈夫なんです。

とはいえ「自慢をしすぎると、かえってウザがられるんじゃないか？」という心配もありますよね。

ではどうすればいいか？**実は「過去のあなたに比べて今は**

とても成長した」という自慢の仕方なら好印象を持ってもらいやすいんです。

たとえば「自分は仕事で社長賞を取った」などと実績だけを述べるのではなく「昔は全然仕事ができなかったけど、いろんな人に助けてもらって勉強しながら頑張ったら社長賞が取れたんだ」という言い方にしてみるといいと思います。

なぜこの自慢の仕方がよいのか、その理由は大きく二つあります。

一つ目は**向上心があることをアピールできる**点です。これなら他人は「この人は努力をしてきて今があるんだな」という良い印象を持ってもらいやすいんです。普段から何かに向かって頑張っている人ってそれだけで素敵に見えたりしますよね。

二つ目は**あなたの成長のストーリーに共感してもらえる**点です。人は基本的にストーリーを好みます。魅力的な漫画のキャラクターは、冒険をする中で強敵に苦戦しながらも少しずつレベルアップしていく、という設定が多いです。これはキャラクターの姿を見た人が共感し、応援したくなるからです。ストーリーを使えば、あなたも「愛されキャラ」になれるかもしれませんよ！

Point

実績だけでなく努力したストーリーをアピールしよう。

Chapter 2-7

「陰口を言われるようになっちゃいけない」と思わなくたっていい

――なぜなら心理学的には、陰口を言われるということはあなたがすごい人だと思われている証拠だから

陰口を言う人ってどこにでもいますよね。誰かが他人の陰口を言っているのを耳にしたり、周りから「○○さんがあなたの陰口を言っていたよ」と聞かされることがあったりします。

こんな話を聞くと「陰口を言われないよう気をつけなきゃ」と思うかもしれません。**でも、陰口を言っている人はただ自己満足をしたいだけですし、実はあなたを陰では認めているってことなので気にする必要はないんです。**

陰口を言う人ってそれが癖になってしまっているんです。**実は陰口を言うと、脳の中にドーパミンという人を気持ちよくさせてくれる物質が出ます。**だから陰口を言う人は、気持ちよくなるために陰口に依存してしまっているんです。

だから、陰口を言いたいなら好きに言わせておけばいいし、言われないようにしなきゃって気にする必要はないんです。

とはいえ、「自分が陰口を言われるようなことをしているのでは・・・？」って気になることもありますよね。もし本当に他人に迷惑をかけているのだとしたら、その行動は改善すべきですが、そうでないならそんな陰口は聞く必要のないも

のです。

実は、陰口というのは自分を守るための行動と考えられています。人は「この人には勝てない、自分の立場が危うくなるかも」と思うから、自分を守るために陰口を言う傾向があるんです。

つまりは相手が**あなたに嫉妬している証拠**なので、あなたは評価されているんです。

陰口を言う人は、努力して自分を磨くということができないので、暇を持て余して他人のあら探しをしているだけなんです。だからそんな人に陰口を言われたからといって、気にする必要はないと思いませんか？

【陰口は気にせず目の前のことに励もう】

Point

陰口を言われたらあなたのほうが上だと思われている証拠。

Chapter 2-8 「自信たっぷりに話さなきゃいけない」と思わなくたっていい

——なぜなら心理学的には、ズバッと言うよりもソフトな口調のほうが印象はよくなるから

「自信があるように見せておかないと相手から信頼してもらえない」と思ったりしていませんか？本当は自信がないのに周りからバレないように振る舞うって苦労しますよね。

実は、さほど自信満々に話さなくても、人は自分のことを信頼してくれると言われているんです。

自信満々に見せようとすると、本当は分からないことなのに分からないと言えず、後でそれがバレてかえって相手の信頼を損なうケースも少なくありません。それに、無理して自信ありげに見せても、意外と相手から見抜かれてしまうものです。

僕も一専門家としてカウンセリングをしている立場ですが、相談者から分からないことを質問されたら、素直に分からないと答えるようにしています。決して不勉強であってもいいということではありませんが、**知ったかぶりをするほうが相談者の不信感につながるからです。**

また、初めてカウンセリングに来た相談者に対して、僕から「絶対こういう方針で進めるとよいですよ！」とさも自信ありげに押すようなこともしません。相談者の希望を第一に

考えながら、こちらがいいと思う方針を複数提案して、「こういうやり方がいいかもしれませんが、いかがですか？」と尋ねるようにしています。

このほうが相談者は安心して選びやすくなるので、無理して自信があるように見せなくてもいいと思っています。

とはいえ、「断定して話をしなければ納得してもらえないし、自信がないと思われるのでは？」と気にする方がいるかもしれません。これについては、自分の話し方が相手にどのような印象を与えるかを調査したおもしろい研究があります。

メリーランド大学の研究では、カウンセラーを対象に断定的で結論を押し付けるような話し方と結論を急がず穏やかな話し方を比較し、両者に対してどのような印象を持つかを調べました。その結果、後者のほうが印象はよくなると明らかになっています。

人は本来、他人に結論を押し付けられることを不快に思うもので、自分で決めたいという欲求があります。その欲求をアシストできるように、**穏やかな口調でいくつかの選択肢を提示しながらも、最終的には相手に決めてもらうような持っていき方をするほうが好感度は高くなる**、というわけです。

Point
自信たっぷりでなくても相手の要望を大事にすれば信頼される。

Chapter 2-9

全員に好かれようとしなくていい

――なぜなら心理学的には、全員に好かれようとしなければ本当に気の合う仲間に出会えるから

周りにいる全員から好かれようと自分の心をすり減らしてまで頑張っている人もいますが、そんなことはしなくていい。というのも、**全員に好かれようとしないほうが幸せを感じやすいんです。**

僕らは子どもの頃から「みんなと仲良くすることが大事」だと言われ続けてきました。だから大人になっても「他人を嫌いになっちゃいけない」とか「みんなに好かれるような人にならないといけない」と思っている人は多いです。

でも、**どんな人にだって絶対に気の合わない人がいるものですよね。**どういう人を苦手だと思うかは自分ではコントロールしにくいもの。そして、気の合わない人と無理して付き合い続けるのはとてもしんどいです。だから、できる限りそういう人からは好かれようとするのではなく距離を置きましょう。

とはいえ、「他人に嫌われたらもっとつらい思いをするんじゃないか」って思うと、どうしても頑張って好かれようとしちゃうものですよね。ですが、**全員ではなくあなたと気の合う一部の人から好かれればそれで大丈夫です。**

心理学には**「2：6：2の法則」**というものがあります。これは、もしあなたの周りに10人の人がいたら、**2人は自分のことが好きになり、6人は好きでも嫌いでもなく、残りの2人からは残念ながら嫌われる**という割合になる人間関係の傾向です。

どんなに人気のあるアイドルだって、必ずアンチはいるものです。それだけ人間の趣味嗜好(しこう)というのは千差万別なんです。だから、どんなに頑張ったところで、全員に好かれるなんてことはありえないし目指す必要もないんです。

あなたが自分らしく振る舞っていれば、素のあなたを好きになってくる人が近寄ってきてくれます。そうやって一緒にいて居心地のいい人との関係を大事にすればいいんです。

【2：6：2の法則】

Point
日本にはあなたを好きになってくれる人が2500万人いる。その人たちと仲良くして幸せになろう。

Chapter 2-10 「相手にははっきり意見を伝えちゃいけない」と思わなくたっていい

――なぜなら心理学的には、「察してほしい」というコミュニケーションは誤解が生まれやすいから

もしあなたが誰かに遠回しに何かを伝えようとしているのに、全然理解してもらえずモヤモヤしているなら、いっそのことはっきり伝えましょう。

コミュニケーションでは「はっきり言わないけど察してほしい」を使わないほうが、お互いストレスが少なくて済むからです。

「はっきりものを伝えると相手を不快にさせるかもしれない」「多くを語らないことこそが大人の対応」

そう思ってわざと遠回しな言い方をして、相手に察してもらうことを期待していませんか。もちろん、相手に不快な思いをさせないように配慮することは、人間関係を円滑にする大切な心がけです。

ですが、ここであなたに覚えておいてほしいのは、世の中には察することが苦手な人もいるということです。そういう人にどれだけ察してもらうことを期待しても、なかなか思い通りにはいきません。

気をつけておかないと、こちら側が遠回しに伝えて「相手には伝わったはず」と思っていても、こちらの要望と相手の解釈にズレが起きてしまいます。こうなると「こちらの言い

たいことが伝わらない」⇔「相手が何を伝えたいのかが分からない」というすれ違いが起きて、お互いのストレスになってしまいます。

この本を読んで勉強しているような優しい人は「とはいえ、はっきり意見を伝えたら相手を傷つけるかも」って不安になっていませんか？

でも大丈夫、**「言い方はソフトに、内容はストレートに」**を心がければ、相手を傷つけずこちらの意図を伝えることができるんです。コツは**自分を主語にして相手にやってほしいことを具体的に伝える、です。**

たとえば、自分が疲れていて、旦那さんに洗い物をやってほしければ「最近、仕事が忙しくて、少し疲れているの。あなたに洗い物をやってもらえると助かるな」と伝えるようにします。

これはカウンセリングでもよく使われる**「アサーション」**といって、**相手と自分の両方を大切にする**とても有効なコミュニケーション法です。

大切にしたい人だからこそ自分の意思をはっきりと伝えていいんです。これは相手と末永く良い関係を築いていくための大事な秘訣（ひけつ）です。

Point

相手と自分のwin-winを考えて、はっきりと伝えるコミュニケーションこそが、お互いストレスが溜まらない大人の対応。

自分と他人を比べなくたっていい

――なぜなら心理学的には、他人よりも過去の自分と比べることでポジティブに成長できるから

バリバリ働いてキラッキラ輝いている人を見て「それに比べて自分は・・・」と落ち込むこともあるでしょう。「自分も頑張らなきゃ」って思うのも悪くないですが、**そんなふうに落ち込むくらいだったら他人と比べなくたっていい**んです。

学生時代に仲が良かった人の近況を聞いた時、「同級生のあいつは自分よりいい会社に勤めて、高い給料をもらっている・・・」「友達が結婚した、子どもが生まれた、なのに自分には恋人すらいない・・・」みたいに自分と他人を比べてがっかりすることも多いですよね。

自分も頑張らなきゃという向上心があるのは素晴らしいことです。でも、どれだけ頑張ったところで上には上がいるものです。他人と自分を比べているとキリがないし、ずっと勝った / 負けたと一喜一憂することになります。

あなたは生きているだけで価値のある存在なんだから、他人と比べる必要はないんです。人生は他人との競争ではありません。あなたの人生はあなたが目指すゴールに向かって歩き続けることに価値があります。

とはいえ、向上心のある人からすれば「他人と比べることをやめたら自分が成長できなくなるんじゃないか？」って考えてしまったりします。でも、他人と比較すると自分の至らないところばかりが目につくので、ネガティブになりやすいんです。

なので、**比べるのは他人ではなく過去の自分にしてみましょう。**「昔の自分と比べて、今はこんなことができるようになった」。そこに視点を切り替えると成長を実感しやすく、ポジティブな気分になりやすいです。

あなたは「理想のなりたい自分」に近づくことを考えていればいいんです。そうやって頑張って、ふとした時に過去の自分と比べてみたら、大きく成長していることに気づくはずです。

【他人ではなく過去の自分と比べよう】

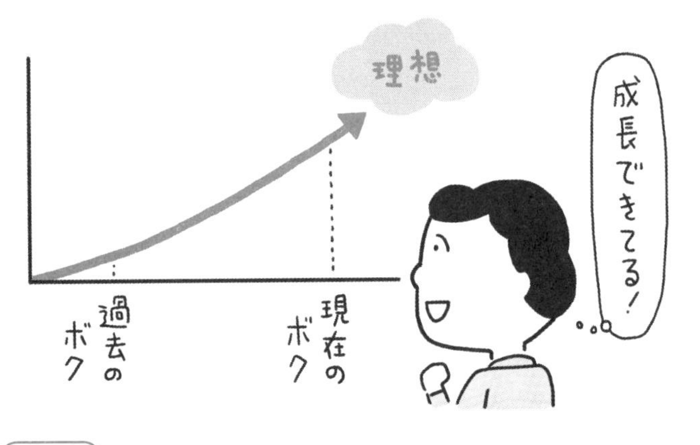

Point

あなたの価値を決めるのは他人ではなくあなた。

Chapter 2-12 「怒らせたらどうしよう・・・」って気にしすぎなくたっていい

――なぜなら心理学的には、あなたの言動に対して相手が怒るかどうかはあなたの責任ではないから

「相手を怒らせたらどうしよう・・・」って考えると、自分の言いたいことを伝えられず、モヤモヤすることもあると思います。

ですが、**相手が怒ったからといって、それが全てあなたの責任とは限りません。だから怒らせてしまうかもって気にしすぎずに、きちんとあなたの意思を伝えても問題ないんです。**

相手の気持ちに配慮して、なるべく角が立たないコミュニケーションを取ろうとするのは素晴らしいことです。ですが、相手に配慮しようとするあまり、できれば伝えたいのにどうしても言い出すことができなくなったりしていませんか？

そうなると、あなたが我慢を強いられてつらい思いをすることになりかねません。そうならないよう、**あまり気にせず自分の言いたいことは素直に伝えたほうが関係性もよくなるし、あなたの悩みも少なくなるんです。**

とはいえ、「そんなこと言われなくても分かってるよ！それでも相手を怒らせるのが怖いからできないんだよ！」って思ったりしていませんか？

そんなあなたに心理学のおもしろい考え方をお伝えします。

それは**「課題の分離」**といって、**あなたが責任を取るべきこと（自分の課題）と相手が責任を取るべきこと（他人の課題）は区別したほうがよい**という考え方です。

あなたの発言に対して、相手がどんな感情を持つか、どう解釈するかは相手にしかコントロールできません。つまり、**相手の感情や解釈がどんな結果になろうと、それはあなたの責任ではなく相手に責任があるということです。**

世の中には特殊な価値観を持っていたり、周囲とは違うものの捉え方をしている人がいて、こちらが思いがけないような理由で怒り出したりします。そんな相手に、「この人を怒らせないようにするにはどうしたらいいんだろう・・・？」なんていちいち考えていたらメンタルを消耗させられますよね。

だから、あなたが責任を持ってやるべきなのは**「普通の人だったらこういう言い方をすれば怒らない」という言い方を考えて伝えるところまでです。**万が一そういう言い方をして相手が怒ったとしても、それは価値観やものの捉え方が普通の人と違うという相手の責任なので気にする必要はありません。「相手を怒らせるのでは・・・」と不安になる人はこの考え方を取り入れてみてください。

Point

相手の責任で怒ったことに罪悪感を持たなくていい。

Chapter 2-13

理不尽なことをされたら怒ったっていい

——なぜなら心理学的には、怒りを適切に表現するほうが心の健康には良いから

「大人はいつでも冷静でいるべきで、怒ってはいけない」って思っている人はいませんか？この心がけが決して間違っているとは思いませんが、**大人だからこそむしろ適切に怒っていいのではないでしょうか。**

たとえば、本当は自分には非がないミスだったにもかかわらず、会社の上司にあなたが怒鳴られてしまったとします。その時に自分の責任ではないことを説明しようとしているのに、「お前は上司に向かって口答えするのか！？」などと理不尽なことを言われたりします。

理不尽とは読んで字のごとく道理に合わないことです。あなたのせいではないのに責められたりしたら、「何でそんなこと言われなきゃいけないんだ！」と思うのは当然のことです。

でも、「大人は怒っちゃいけない」が強すぎると、自分の怒りの感情に無理に蓋(ふた)をして心に負担がかかり続けます。

そうやって我慢し続けていると、いずれあなたの心は壊れます。**人間なんだから理不尽なことをされたら怒っていいんです。**

とはいえ、「いい年して怒るというのは大人げないようで後ろめたさがある」って人もいますよね。

僕は感情的にキレて口論をすることはお勧めしませんが、

「自分は理不尽な対応をされて不愉快な思いをしている」ということは明確に伝えたほうがいいと思っています。お互いにとって少しでも心地いい環境を作っていく努力も大人の大事な役目だからです。

理不尽な目にあったら怒りの感情を持つのは当たり前のことです。あなたが怒らないままでいると、相手は「こういう対応をしても怒らない人なんだな」という誤解をしてしまいます。そして、あなたにとって不快な状況がずっと続くことになります。

あなたは感情のないロボットじゃありません。人間には喜怒哀楽があって当たり前。だから怒ったっていいんです。

【不愉快なときは不愉快だと伝えよう】

Point
自分は怒っているというメッセージを明確に伝えるのも大人の役目。

「あいつのせいだ」が口癖の人と付き合わなくたっていい

——なぜなら心理学的には、素直に謝れる人と付き合うほうが得だから

何か問題が起こった時に「これはあの人のせいでこうなったんだ！」とすぐに評論家になろうとする人がいます。

あなたの近くに**こういう評論家がいたら、なるべく距離を取って関わらないようにしたほうがいい**です。

「この問題はこういう原因があって、あの人のせいだった」と言う人は、一見すると状況をよく分析している頭の切れる人に見えるものです。頼りがいがあるように思えたりもします。

ですが、よく考えてみてください。トラブルが起こった時に大切なのは、他人のせいにすることよりも、今後どうしたら再発を防止できるかを考えることじゃないでしょうか。

さらに言えば、この問題に対して自分には何ができるかを考えて実行するほうが有益ですよね。なのに、「あいつのせいだ」とばかり言っている人は、自分の非を認めたくないために他人に原因があると言ったりするんです。

そういう他責的な人と付き合っていると、いざ別の問題が起きた時にあなたのせいだと言われることもあるんです。

他責的な人は「周りの環境がよくないから」という思考から抜け出すことができません。そう考えている限り、自分に非があっても責任逃れをして謝罪しようとしないんです。

僕が以前働いていた職場にもそういう他責的な同僚がいました。ある日、他責的な同僚の不手際でお客さんを待たせて迷惑をかけてしまったことがありました。

その時、同僚は「〇〇さんがちゃんとしていればこうならなかった」と他のメンバーを批判するばかりで、全然建設的な議論ができませんでした。

なので、僕は「誰のせいとかではなく、同じミスが出ないようにどうしたらいいかを話し合いませんか？」と言いました。そうすると同僚も批判をやめ、次の日からは業務がスムーズに進むようになりました。

自分に非がある時に素直に謝れる人と付き合っているほうが余計なことに巻き込まれなくて済みます。「あいつのせいだ」が口癖になっていたら関わってはいけない人かもしれないので気をつけてください。

Point
問題が起きた時に「自分にも原因があるんじゃないか？」と考えられる人と付き合おう。

Chapter 2-15

「嫌みな人でも相手にしなきゃいけない」と思わなくたっていい

――なぜなら心理学的には、スルーしておくほうが相手は嫌みを言いにくくなるから

あなたの身の回りにいつも嫌みを言ってくる人っていませんか？「こんなことしたら嫌われるって分かるはずなのに、何で嫌みを言うんだろう？」って不思議に思いますよね。

嫌みを言う人に対応するのはストレスが溜まるし、時間の無駄なのでスルーしておいたほうがいいです。

嫌みな人と一緒にいれば当然不快な思いをします。なので、そんな人を相手にしたくはないのが本音ですよね。

だけど、社会人だから無視するわけにもいかないと我慢している人は多いです。

嫌みな人に対応するのはこちらのストレスになるし、**自分に嫌なことを言ってくる人にまで優しくしなくてもいい**んです。だからマジメに対応しなくても大丈夫です。

とはいえ、「マジメに話を聞いておかないと、もっと嫌みがエスカレートするんじゃないか」と気になるかもしれませんね。でも、適当にスルーしておけばそのうち嫌みを言われることはなくなります。

こういう人たちがなぜ嫌みを言って絡んでくるのか、それは相手が怒ったり嫌がったりする反応を見て喜ぶためなんです。

子どもがいじめをして相手を泣かせているみたいなもので、絡むことで構ってほしいんです。

だから「こいつと話してもつまんないな」と思わせるのがコツです。

何か言われても「あーそうなんですね」とか「分かりました」みたいに最低限の返答にとどめておけば、**相手は思うような反応が返ってこないので、自然と嫌みが減ってくるんです。**

他人に嫌みを言うことでしかストレスを解消できないかわいそうな人なだけなので、そういう人の言葉をうのみにする必要はありません。

あなたは**我慢せず「はいはい、また言っているよ」みたいな感じでスルーして大丈夫なんです。**

Point

嫌みを言ってくる人はまともに相手にしないのが吉。

Chapter 2-16

正論を言う人の言葉に耳を貸さなくたっていい

——なぜなら心理学的には、理屈と感情でものを考えるというあなたのスタンスに価値があるから

いつも正論ばかり言って周りを困らせる人がいます。僕もかつてそういう上司がいた職場で働いていて、同僚はいつも迷惑していました。

「言っていることは正しいから・・・」とその人の意見を嫌々聞かなきゃいけないと思うかもしれません。ですが、**正論ばかり言う人の言葉には耳を貸さなくたっていいんです。**

会社の上司が「会社の売り上げが落ちている、だからみんな残業してでも頑張るべきだ！」と部下に向けて言ったとします。一見すると正しい意見のようですが、素直に「じゃあ今日から頑張って残業しよう！」とはならない人が多いと思います。

正論を振りかざす人は自分が正しいと思う偏ったものの考え方しかできません。売り上げを上げる方法は他にもたくさんあるし、家庭の事情で残業ができない人だっているでしょう。

ですが、正論ばかり言う人は、過去の自分の体験からしか物事を見ることができないし、自分とは違う相手の立場に配慮して行動することが難しいんです。

以前、Twitterでこんな投稿が話題を呼んでいました。スーパーの総菜コーナーでポテトサラダを買おうとした幼児連れの女性に対して、高齢男性が「母親ならポテトサラダくらい作ったらどうだ」と言い、女性はその場で総菜パックを手にしたままうつむいてしまった、というものです。

これも「母親ならば手作りの料理を振る舞うべき」という自分の中の正論を振りかざした例です。たしかに手作りの料理を作れば子どもは喜ぶかもしれません。

ですが、外で働きながら家事をすることが当たり前になっている現代において、一からポテトサラダを作る時間がない母親もたくさんいます。おそらく、この高齢男性はそういった女性の事情を理解せず、自分の正論をぶつけて女性を傷つけてしまったのでしょう。

人は理屈だけではなく感情的にも腑(ふ)に落ちてこそ納得が得られるものです。**たとえ理屈では相手の意見が間違ってなかったとしても、「なんかあの人の言うことは納得できないんだよな・・・」と思うのであれば、うのみにしなくていいんです。**

そして、そんな他人の感情に配慮できない人が近くにいたら、できる限り関わらないようにすることをお勧めします。

Point

いつでも正論が正しいわけじゃない。正論や常識は人の数だけある。

Chapter 2-17

嫌な人のことを忘れようとしなくたっていい

——なぜなら心理学的には、あえて徹底的に思い出すほうが嫌な気持ちが晴れるから

誰にでも他人から嫌なことを言われ、その言葉が忘れられないという経験はあるものです。どうにか早く頭から消したいと思うかもしれませんが、**無理に忘れようとせずにむしろ思い出すほうが気持ちは楽になる場合もあるんです。**

嫌なことを言う人を思い出すと不快な気持ちになりますよね。だから忘れよう忘れようと思うけど、そんなにすぐに忘れることもできなかったりします。それはとてもつらいことです。

そんな時は、無理に忘れようとするのはやめましょう。それよりも、**あえて徹底的にその記憶を思い出すようにするほうがよかったりします。**

僕は嫌な記憶に苦しんでいる相談者にこの方法を勧めることがあります。メモを準備してもらい、**いつ、どこで、誰に、どんなふうに、どんなことを言われたか、そこまで徹底的に思い出して書くようにしてもらいます。**すると、不思議と嫌な気持ちが薄れてきたりするんです。

とはいえ、「嫌なことを詳細に思い出したら、かえって不快な気持ちになるんじゃないか？」と思われるかもしれません。

ですが、**嫌な部分以外も思い出すことが大事なんです。**

「記憶バイアス」といって、**人の記憶はどうしても偏った内容が想起されやすく、特に強いネガティブな感情を伴った記憶はいつまでも残ってしまいがち**です。

だから、実際に出来事の詳細を思い出してみると、必ずしも悪いことばかりではなく、良い面もあったりするものです。

たとえば、会社で上司に怒鳴られた記憶を思い出してみると、「そういえばあの上司はいつも朝は機嫌が悪いなぁ、朝に声をかけなければ怒られなかったかも」などと思い出せたりします。そうすると**「そんなに気にするほどでもなかったかな」と思えて、嫌な気持ちが薄れてくる**んです。

【あえて嫌なことを思い出すとスッキリする】

アレ？ なんかスッキリしてきたかも…

上司

上司

Point

たとえ忘れられなくても、嫌な記憶からの影響を小さくすることはできる。

Chapter 2-18

人目を気にしてやりたいことを我慢しなくたっていい

——なぜなら心理学的には、他人は案外自分のことを悪く思ってはいないから

あなたにもし「周りからどう思われるんだろう・・・」と気になって、やりたいけどできていないことがあれば、今すぐにやりましょう。実は、**他人は案外あなたのことをさほど気にしていないものです。**

あなたは街ですれ違った人が何をやっていたか、知り合いがどんな服を着ていたかなんて全て覚えていますか？おそらくそんなことはないと思います。

他人から見れば、あなたも大勢のうちの一人です。だから周りからどう思われるかって気になっていても、**あなたが心配しているほど他人はあなたに注目していないんです。**

それに、他人があなたのことをどう思うか、それはコントロールできないものです。一方で、**自分がどういう行動を起こすかはコントロールできます。**

たとえば、あなたが会社の会議で何か発言したとします。あなたが発言した内容に対して、上司はあなたを認めて良い評価をしてくれるかもしれないし、「こいつは的外れなことを言っているな・・・」と評価を下げるかもしれません。このように、あなたの発言の結果や相手の感情はコントロールで

きないものです。

一方、会議中ずっと発言せずにモヤモヤし続けるか、上司の評価はどうであれ、勇気を出して発言できるかどうかはあなた次第です。

上司の評価というコントロールできないものをコントロールしようとするのはつらいものです。ですが、相手からどう思われるのかではなく、自分が行動を起こすことそのものを目標に設定すれば、「勇気を出して周りに自分の考えを伝えられた！」という自信が湧いてきます。

その自信がさらなる行動につながり、やがてあなたは**「なりたい自分」になることができます。**だから人目を気にせず、やりたいことをやったほうが得なんです。

とはいえ、どうしても「陰で悪く思われてるんじゃないか」と気になる人もいると思います。**「スポットライト効果」**といって、**人は自分が自分のことを気にしているように他人も自分のことを気にしていると錯覚する傾向があるんです。**

でも、実際には自分だけが舞台に上がってスポットライトを浴びて注目を集めている、なんてことはないですよね。だから気にしなくて大丈夫です。

Point

あなたが人目を気にせず行動することそのものに価値がある。

Chapter 2-19

「相手に質問ばかりすると不快にさせるのでは？」と心配しなくたっていい

——なぜなら心理学的には、質問の多い人は他人に好かれやすいから

仲良くなりたいと思った人のことって、自然と「この人のことをもっと知りたい」と思うものですよね。だから仲良くなりたい人にはいろんなことを聞きたくなるものです。

一方で「質問攻めにすると相手を不快にさせるのでは？」という心配を抱えている場合もあると思います。でも本来、人は自分の話をするのが好きなもの。だから、**気にせず相手のことをよく知ろうと質問していけばいいんです。**

人って、自分の話を聞いてもらうと嬉しくなるものなんです。他人が自分に興味を持ってくれているというのは、自分の価値を感じられてポジティブな気分になるからです。

自分のことを知ろうとしてくれる人と話していると、そのうち「この人と話していると楽しいな」と思うようになります。**自分は知りたいことを知れて、相手からは喜んでもらえる、だから気になることは質問していっていいんです。**

とはいえ「どんなふうに質問したら相手が不快にならないか分からない」ってこともありますよね。たしかに、最初からあまりにもプライベートなことを突っ込んで質問されるのは、抵抗感を持つ人もいるでしょう。

なので、**相手の話を深掘りする形で質問していけば大丈夫です。**このテクニックを心理学では**「フォローアップ・クエスチョン」**と呼びます。

たとえば、相手が「日曜日に水族館に行ってきたんだ」と言ったら、「へー水族館に行ってきたんだ、どんな魚見てきたの？」と相手の話に関連することを深掘りしていきます。

お笑い番組の司会者も場を盛り上げるために「そうなんだ！」「それでそれで！？」とフォローアップ・クエスチョンをよく使っています。会話が苦手な人はぜひ試してみてください。

【フォローアップ・クエスチョン】

Point
あなたが興味を持って相手に接していけば、相手もあなたに好意を持ってくれる。

Chapter 2-20 無理に明るく振る舞おうとしなくたっていい

――なぜなら心理学的には、相手の雰囲気に合わせたほうがお互い安心して話せるから

子どもの頃にクラスにいた人たちを思い出してみると、いつも人気者になるのは明るい子なので、なんとなく「暗い人よりも明るい人のほうがよい」みたいなイメージってありませんか？

たしかに明るい人と一緒にいるのは楽しいですが、人間誰しも気分の浮き沈みがあるもの。**気持ちが落ち込んでいる時は無理に明るく振る舞わなくてもいい**んです。

気持ちが落ち込むってことは、落ち込むだけの原因があるはず。なので、それは人間として当たり前の反応なんです。

それなのに、無理に笑顔を作ろうとしたら、もっと心に負担がかかります。だから落ち込む時はとことん落ち込んだっていい。

それに、もしあなたに何か嫌なことがあって落ち込んでいる時に、一緒にいる相手から「そんなに暗い顔してないでポジティブにいこうよ！！」ってキラキラ輝いた満面の笑みで言われたら、ちょっと居心地が悪くなったりしませんか？

だから、**一緒にいる相手が暗くなっている時だって、相手**

を励まそうとしてあなたが無理に明るく振る舞う必要はないんです。

とはいえ、優しい人ほど「二人とも暗くなっていたら、相手を余計に落ち込ませるんじゃないか？」って心配になったりするものです。ですが、コミュニケーションにおいては、相手の雰囲気と大きくかけ離れないほうがよいと言われているんです。

心理学には**「マッチング」**という**話し相手の声の調子やトーンに合わせるテクニック**があります。
これは、**聞き手は話し相手の雰囲気に合わせたほうが、話し手が安心できると言われていることから使われるようになりました。**

これはカウンセリングでもよく使われていて、気持ちが落ち込んでいる相談者には、カウンセラーもなるべく相手に合わせようとしています。

どんな人だって本来の自分のキャラクターに合わないような振る舞いを続けることって短時間はできたとしてもいつか無理がくるものです。たとえ**自分が根暗だって思っていたとしても、あなたはそのままのあなたでいて大丈夫なんです。**

Point
明るいだけが正解じゃない。暗い雰囲気だって十分誰かの役に立つ。

Chapter 2-21

何でも自分の責任だと背負い込まなくていい

——なぜなら心理学的には、他人が原因で起こったことは他人のせいにすることで自分を守れるから

何か問題が起こった時に「自分にも原因があるんじゃないか？」と考えられるのは非常に大事なこと。ですがマジメな人ほど、自分が悪いんだと責任を強く感じすぎる傾向があります。

それに、ネガティブな原因帰属をする傾向があまりにも強すぎると、うつ病になりやすいとも言われています。なので、**全て自分の責任だと背負い込む必要はないんです。**

何でも他人のせいにする「他責思考」になるのは問題である一方で、「自分にも原因があるんじゃないか？」と考えられる「自責思考」は自分の改善点の発見と成長につながります。

けれども、**両者は0か100かではなくバランスが大事だと思っています。**他人が原因で起きた問題なのに、何でも自分に責任があると思いすぎると自分を追い詰めてしまうからです。

たとえば、僕が以前会った40代シングルマザーのタナカさんは、子どもが高校のテスト勉強をマジメにやらず、あまり成績がよくないことで悩んでいました。できれば子どもには良い大学に入って、将来は有名企業に勤めてほしい・・・。

ですが、このままでは受験勉強もまともにやらず、良い大学や有名企業など夢のまた夢という様子でした。

では、子どもが良い成績を取れないのはタナカさんの責任なのでしょうか？親としてできるのは、勉強を教えること、塾に通わせること、勉強することで得られる将来のメリットを伝えることなどでしょう。

一方で、子どもがどれだけ自主的に勉強するか、子どもがどれくらいの成績を取るかはあくまでも子どもの責任です。将来的に子どもが希望する大学に入れなかったとしても、それはタナカさんにはどうにもできなかったことです。

だから、僕からタナカさんがきちんと育てなかったせいで子どもを困らせることになってしまったと悲観する必要はないと伝え、タナカさんは肩の荷が下りたようでした。

あなたはあなたの影響力の及ぶ責任の範囲でだけ頑張っていればよく、他人の責任の範囲のことは他人に任せておけばいいんです。

Point

自責思考もほどほどがいい。

Chapter 2-22

友達は少なくたっていい

――なぜなら心理学的には、少ない友達との関係を大事にすると幸福度が高くなるから

あなたには「この人と一緒にいると素の自分が出せる」「困ったことは何でも相談できる」と思える友達は何人いますか？

もし「自分には友達が少ないな・・・」と思ったとしても、落ち込む必要はありません。**友達は多ければ多いほどよいわけではなく、たとえ少なくても親密な友達との関係を大事にすれば幸せになれる**からです。

子どもの頃に聴いた「友達100人できるかな」という歌の影響からか、どこか世の中には「友達が少ないのは恥ずかしい、だから友達を増やさないと」という固定観念があります。

大人になってもいつもSNSで友達と楽しそうに過ごす様子をアップする、いわゆるリア充アピールをしている人をうらやましく思った経験がある人も少なくないでしょう。

ですが一方で、「友達の少ない自分が恥ずかしい」と人目を気にして、無理して気が合わない人とでも付き合いを続けている人がいます。

気が合わない人と会った後、あなたは「楽しかった！良い時間を過ごせたなぁ」と思えていますか？もしそう思えない

なら、あなたは勇気を持ってその人たちと距離を置くべきです。

人生の時間は有限です。**人目を気にして楽しい時間を過ごせない人と一緒にいるくらいなら、もっとあなたと気の合う人との時間を大切にしたほうがいい。**あなたの貴重な時間を楽しくない人に使うのはもったいないです。

人間関係の付き合いの数と質および人生の幸福度の関連を調べた研究によると、**出会いの数を増やして幸福になるかどうかは人によって異なっていて、数多くの人と付き合わなくても付き合いの質を重視することによって幸福度が高まることが明らかになっています。**

また、浅い付き合いの関係は、あなたと相手のどちらかが結婚する、子どもが生まれる、昇進して仕事が忙しくなるなどの人生のステージが進むにつれて、自然と消滅していく可能性が高いです。

もしあなたがしんどい思いをしてまでたくさんの人との関係を維持することに苦労しているなら、心の底から「どんなに忙しくてもこの人のためなら時間を作りたい」と思う人とだけ付き合ってみてはいかがでしょうか。

Point

狭くても深い友人関係があれば幸せになれる。

Chapter 2-23

自分より優れた人を妬（ねた）まなくたっていい

——なぜなら心理学的には、優れた人は自分を成長させるお手本だから

自分より優秀な人を見るとその人がうらやましくなったり、なんとなく「なんかあいつ気に食わない！」って妬みの気持ちが出てきたりしますよね。

他人のキラキラした姿を見るとそういう気持ちになっても仕方ないものです。「嫉妬なんてしたってしょうがない」とは思いつつも、どうしても相手が憎くなってしまうこともあります。

でもネガティブな気持ちになるだけで終わってはもったいない。そんな時は相手を好きにならなくてもいいから、**その人の良いところをマネて自分のものにしてしまいましょう。**

とはいえ、「そんなに急に嫉妬してた相手のことをマネするなんてどうしたらいいか分からない」って人もいるかもしれません。ですが、相手をマネしようと意識を変えるだけでも、少しずつあなたは変わっていけるんです。

「カラーバス効果」といって、**ある一つのことを意識することで、それに関する情報が無意識に自分の手元にたくさん集まるようになる現象**があります。

つまり、嫉妬ではなく「自分のために良いところはマネしちゃおう！」と思えば、自然とその人のことを観察するようになり、自然と「この人はこうやってるからうまくいくんだ」という情報が集まってきます。

こうやって**マネして自分の行動を変えていく**ことを心理学では**「モデリング」**と呼び、自分を望ましい方向に変えていくための有効な方法と言われています。

たとえネガティブな感情を持ったとしても、せっかくならそれをあなたのために利用したほうが得です。自分を変えたい、成長させたい人はぜひ意識してみてください。

【嫉妬する相手はむしろいろいろマネよう】

Point

嫉妬する相手が現れたら、あなたが成長する絶好のチャンス。

Chapter 2-24

「人によって態度を変えちゃいけない」と思わなくたっていい

――なぜなら心理学的には、相手によって言葉遣いや態度を使い分けるほうが自分のメンタルが楽だから

一般的に「人によって態度を変えるのは周りに不愉快な思いをさせる」と思われています。

ですが、人間には感情があるので、どうしてもどの人に対しても同じ態度をとるというのも難しいですよね。

あからさまに差別的な対応をするのは問題ですが、**あなたの中で人によって対応が変わるのはある意味自然なことなので、必ずしも悪いことだと思わなくてもいい**んです。

人によって態度を変えて印象が悪くなるのは、権力者に対しては下手に出るのに、後輩や部下のような自分より立場が下の人に対して横柄になるケースです。

会社などのコミュニティの中で上下関係を作るのは、指揮系統を明確にして仕事を円滑に進めるためです。なので、**人間としての価値に上下があるわけではありません。**

「立場が下の人には多少横柄な態度をとってもいい」と誤解している人がいますが、当然ながら人間関係がうまくいかない原因になるのでやめたほうがいいです。

ですが、人に迷惑をかけない範囲であれば問題にはなりません。心理学では**「ペルソナ」**という考え方があります。これは、**人は会社、自宅、友人関係などそれぞれの場面で仮面を使い分けている**というものです。

たとえば、会社では「部下に威厳のある上司」の仮面をつけていても、家では「優しいお父さん」の仮面に変えて、娘と仲良くしたいためにニコニコと柔和な態度をとっているというものがこれにあたります。

上司が威厳を見せるのは会社内で程よく緊張感をもたらし、仕事のパフォーマンスを上げるという効果があります。

ですが、家の中で同じように尊厳を見せるような厳しい表情をしていたら、家族としては寄り付きにくくなるところもありますよね。娘と仲良くいい関係になりたいんだったら、明るく優しい雰囲気を出していたほうがいいでしょう。

同じ人でも置かれた状況によって必要な役割が異なってきます。だから、態度が変わること自体は悪いことではないんです。

Point

状況に合わせて複数のペルソナを使い分けよう。

Chapter 2-25 SNSに輝かしい投稿をしている友人を見て悲観しなくたっていい

——なぜなら心理学的には、友人と比べてあなたの人生が不幸だとは限らないから

SNSが普及したことにより普段会えない友人の「結婚しました」「子どもが生まれました」「大きなプロジェクトを成功させました」「海外旅行に行きました」などのうらやましい投稿を見る機会が増えています。

そんな時、つい「それに比べて自分は・・・」と充実感のない生活ばかりしていることに落ち込んでしまうものですよね。

たしかにうらやましくなりますが、だからといって**あなたのほうが不幸だとは限りません。落ち込む必要はないのです。**

総務省が青少年の男女2600人以上を対象とした調査（青少年のインターネット利用と依存傾向に関する調査）によると、ソーシャルメディア利用時に悩んだり、負担に感じることがある人の割合は56.9%と過半数に及んでいました。

自分の生活に充実感がないと、友達が楽しそうに遊んでいる写真を見て素直に「いいね」が押せない、学生時代に仲良くしていた人が仕事で大活躍をしている姿を見て焦った、なんて悩みが出たりするものですよね。

ですが、ちょっと考えてみてください。あなたは自分が苦労したり、嫌だった経験って、SNSで投稿しますか？少なくとも、実名でリアルの友達とつながっているSNSではあまりやらないと思います。

SNSに投稿するのはあくまでその人の人生の輝かしい場面だけを切り取ったものです。

だから、うらやましい投稿をしている友人も陰ではいろんな苦労があることも少なくないんです。**あなただけが不幸ということはありません。**

もしSNSを見ていて疲れてしまうようだったら、SNSを使わない時間を決めて、その時間は別のことをやってみてください。

場合によっては、普段使うアプリの数を制限してみてもいいかもしれません。

Point

SNSは他人のうらやましい部分だけが見えているだけだから、人と比べて落ち込む必要はない。

Chapter 3

仕事

Chapter 3-1 「何でも一人でやらなきゃ」と思わなくたっていい

——なぜなら心理学的には、頼み事をする人のほうがむしろ好かれるから

「人に迷惑をかけないよう、何でも一人でできるようにならなきゃね」と周りの大人から言われてきたせいか、仕事で困っていても周りに頼れないという人は多いです。

ですが、どんなにデキる人だって同僚に助けてもらいながら仕事を進めているものです。**仕事を手伝ってもらったからといってすぐに同僚から嫌われるわけではないので、あまり気にしなくていい**んです。

というのも、**人は案外頼み事をされるのが嬉しいもの**なんです。あなたも誰かから仕事を手伝ってほしいと頼まれた時、「頼ってもらえてるんだ！」って嬉しい気持ちになった経験はありませんか？

だから困ったことがあったら一人で悩み続けるよりも適度に人の手を借りるようにしたほうが仕事はスムーズに進みますし、人間関係もよくなるんです。

とはいえ、「同僚が忙しくしている姿を見ると、やっぱり頼み事をしたら嫌がられるんじゃないか？」って心配になるのではないでしょうか。

たしかに、自分の仕事で手一杯で、毎日残業しているようなあまりにも余裕のない人に負担の大きな仕事を頼むのは、配慮が足りない人だと思われるかもしれません。ですが、そういう一部の例外を除けば、さほど気負わず頼み事をしても大丈夫です。

というのも、心理学の**「フランクリン効果」**があるからです。これは、**人は頼まれ事をされると、依頼主への好感度が上がる**という効果なんです。

どんなに優しい人でも嫌いな相手にまで親切にしたいとは素直に思えないものです。だから、**自分が相手に親切な行動をとると、自分の脳が「この人に親切にしているというのは、自分が相手のことを好きだからだ」と認識する**んです。

なので、**相手の負担になりすぎない小さい頼み事をしていくと、良い関係を作りやすくなる**のでお勧めです。

頼み事は仕事に関係したものなら何でも構いません。たとえば、Excelの関数の使い方を教えてほしい、自分が会議の資料を作ったから誤字脱字のチェックをしてほしい、ホチキスやペンなどを貸してほしい、などです。

他人に助けてもらうことに遠慮しすぎなくてもいいんです。助けてもらって相手との関係性もよくなるなら、頼らない手はないですよね。

Point

適度な頼み事は同僚との関係性をよくする。社会人も甘え上手なほうが好かれやすい。

Chapter 3-2

限界まで頑張ろうとしなくたっていい

――なぜなら心理学的には、限界を突破しない適切な範囲で頑張るほうが幸せになりやすいから

体調が悪くて体がダルいのに、マジメな人ほど頑張って会社に行こうとしてしまいがちです。おそらくその背景には「体調不良で休むなんて社会人失格」みたいな思いがあるのではないでしょうか。

でも、**あなたが社会人として長く活躍して幸せな人生を歩みたいと思うなら、無理せず休んだほうがいい**です。

どんなに頑張ってお金を稼いだとしても、体を壊してしまっては幸せになることが難しくなります。**ハバフォード大学の研究**では、**健康レベルが「普通」から「少し良い」に変わった時の幸福度の上昇率は、収入アップから得られる上昇率よりも6531%も高かった**と言われています。

「休んでしまうと収入が減るから休めない」という方もいると思いますが、健康とお金のどちらを優先したほうが幸せになれるのか、この研究結果から分かると思います。

無理をして体を壊せば病院に通わなければならず、医療費がかかって自由な時間も削られることになってしまいます。

また、仕事で体を壊してしまうのは、自分が限界を超えているかどうかが分からないまま無理をしてしまったという場合も多いです。なので、もう限界を超えていて休んだほうがいいサインを以下に記載します。

①理由が分からないのに、なぜか涙が出てくる
②夜に眠れない、または朝早く起きてしまう
③まぶたが勝手にピクピク動く
④やらなきゃいけないことなのにやる気が出ない
⑤ドカ食いする、または食欲がない

これらが見られたらもう無理せず仕事を休み、病院に行くことをお勧めします。自分の健康は何よりも優先してくださいね。

【つらいときは休んだほうが6531%も得】

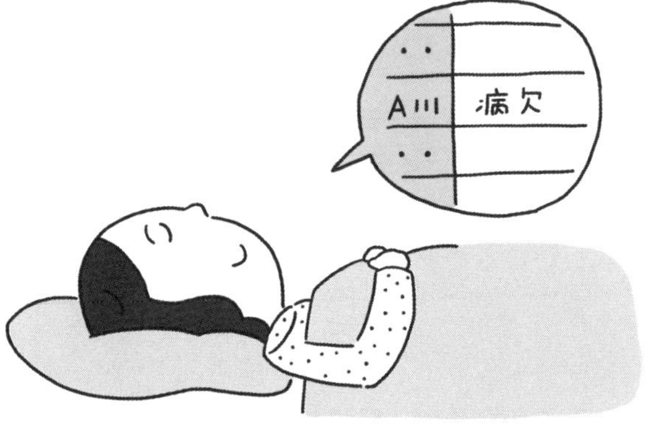

Point

休んだほうがよいサインは見逃さないように！

Chapter 3-3

「緊張しちゃダメ！」と思わなくたっていい

――なぜなら心理学的には、緊張する人ほど結果が出ると分かっているから

仕事で大勢の前でプレゼンをする時、緊張せずに堂々としゃべるとかっこいいですよね。逆に不安でおどおどしていると、自信なさげに見えるし、言いたいことがうまく伝わらなくなってしまったりします。

でも、緊張っていう感情をコントロールすることってシンプルに難しいですよね。緊張したくてしているわけじゃないのに、どうしても緊張してしまうから困るものです。

だったら、どうせコントロールできないんだから、緊張しちゃいけないと思う必要はないと思いましょう。

どんな人だって大勢から注目を集める場面では多かれ少なかれ緊張しているものです。大勢の前で講演をしている人だって、場数を踏んできたから慣れているだけであって、最初から全く緊張していなかったわけではないはずです。

だからもうそんな時は**「緊張してもいいから、自分が準備してきたことを一生懸命話そう！」と思えばいい**んです。

とはいえ、「緊張していたら普段の自分の実力が出せないんじゃないか」って思いますよね。ですが、緊張って適度に持っ

ているほうが仕事にいい影響があるって知ってましたか？

実は、**「ヤーキーズ・ドットソンの法則」**といって、**人は適度な緊張感を持っているほうが良いパフォーマンスを生み出せる**という傾向があるんです。緊張ゼロの緩みすぎた状態よりも、多少緊張していたほうがプレゼンなどは成功しやすいんです。

緊張感を味方につけて仕事を成功させるコツは、**行動を起こすことそのものをゴールに設定する**ことです。具体的には「緊張せずにしゃべること」ではなく、「緊張しても伝えたいことを伝えること」をゴールにすればいいんです。

緊張している中でもプレゼンをやりきれば、それ自体があなたの自信につながります。そうやってプレゼンの経験を積んでいくうちに、緊張しすぎることはなくなっていくでしょう。

また、緊張してうまくしゃべれず、周りから笑われることを心配している人もいると思います。ですが、他人の挑戦を笑うのは、自分がこれまで挑戦をしてこなかった人です。

なぜなら挑戦を避けてきて挑戦の苦労が分からないからです。だからそんな人に笑われようと気にしなくて大丈夫です。

Point

あなたが緊張しながらも勇気を出して行動することそのものに大きな価値がある。

Chapter 3-4

今の会社で認められなくたっていい

——なぜなら心理学的には、一つのコミュニティで評価されなくても他に認めてくれるところはたくさんあるから

あなたは今いる会社で自分は評価されていると思いますか？上司や会社の評価に振り回され、「自分は今の会社であまり認められてないなぁ」と悲しい思いをしている方もいるのではないでしょうか。

もしそんな思いがあったとしても、**あなたに人としての価値がないわけじゃないので気にしすぎる必要はありません。**

今の日本には380万以上もの企業があります。**たまたま今いる企業があなたにとって合っていないというだけだ**と思います。今いるところよりもあなたらしく働けて、あなたのことを評価してくれるところはきっとあります。

また、今は企業に所属せず、フリーランスとして活躍している人がたくさんいる時代です。そういった人たちの中には、企業に所属していた頃はあまり芽が出なかったけど、フリーランスになってやりたいことをとことんやって成功したという人も少なくないんです。

とはいえ、活躍している同僚を見るとやっぱり自分と比べて落ち込んでしまう、という人もいると思います。ですが、今は思うように活躍できていない人だって、環境が変わればいくらでも評価は変わります。

「2：6：2の法則」といって、**一般的に会社内では優秀な人が2割、普通の人が6割、あまり仕事のできない人が2割に分かれる**と言われています。

そして仮に優秀と評価された2割の人だけを残してチームを作り直しても、やはり優秀者の中でも2：6：2に分かれる傾向があるんです。

その人が認められるかどうかは、本人の能力や適性だけでなく、どんな会社に所属しているか、どんなメンバーと一緒にいるかも大きく影響すると言われています。

だから、**一つのところで認められなかったからといってあなたの価値が低いわけではない**んです。

【今の会社で認められなくても気にしなくていい】

Point

あなたを評価してくれない会社に居続けなくたっていい。もっとあなたを必要としてくれるところがきっとある。

Chapter 3-5 「お前のために言っているんだ」は真に受けなくたっていい

——なぜなら心理学的には、そういう人ほど自己中心的だから

あなたは上司から仕事中に「お前のために言ってるんだぞ！」と説教された経験はないでしょうか？実は大抵の場合、**このセリフはあなたのためを思って言っているわけではないのでスルーしても大丈夫**です。

どうして上司はこの言葉を使いたがるのか？それは、**上司が部下を自分に都合よく従わせたいから**なんです。上司にとって何か部下の行動に気に食わないところがある、でもストレートに気に食わないとは言えないから、上司が「あなたに利益がある」と取り繕って伝えているんです。

相手の良心につけ込んで、内心では「つべこべ言わず、言うことを聞け！」って反論されないようにしたいんです。部下からすれば、これって否定しづらいずるいセリフですよね。

こう言われると、立場の弱い人ほどたとえ本心では上司の言っていることが間違っていると思っても、それを相手に伝えることができなくなってしまいます。

ここであなたに覚えておいてほしいことがあります。それは、**本当にあなたのことを思っている上司は一方的に自分の意見を押し付けず、真剣にあなたの話を聞いてくれるはず、**

ということです。

僕が以前お会いした20代前半の女性、サトウさんはある会社に入社したばかりの新入社員でした。仕事で不慣れなところも多く、お客様への対応でもミスをすることがあったようです。

サトウさんの教育係としてついた先輩はいつも「あなたのために言うんだけど」と言いながら、サトウさんが何に困っているのかも聞かず、長時間にわたってサトウさんにくどくどと小言を言っていたそうです。

社会人になったばかりのサトウさんは「自分が未熟だから先輩に迷惑をかけちゃっているんだ・・・」と罪悪感を持っていました。

そこで僕からサトウさんに「あなたのために言うんだけど」を気にしすぎる必要はないということと、直属の上司に指導係を変えてもらうように話すよう伝えました。そうすると、上司はサトウさんを別部署に異動させてくれて、よりサトウさんの話を丁寧に聞いてくれる先輩と一緒に仕事をすることで、だんだんと仕事ができるようになっていきました。

あなたの話をちゃんと聞かずに「あなたのために言うんだけど」を使う人の言葉は信用できない可能性が高いと覚えておいてください。

Point

あなたの話を聞かず自分の意見を押し付ける上司からはできるだけ早く離れたほうがよい。

Chapter 3-6

相談をされてもすぐにアドバイスしようと思わなくたっていい

——なぜなら心理学的には、すぐにアドバイスをすることが逆に信頼関係を壊すことにもなるから

あなたが上司や先輩の立場だったら、部下や後輩が困っている時に何か助けになりたいと思うものですよね。面倒見の良い人ほど、「何かアドバイスしなきゃ」と焦ったりします。その心がけは相手のためになる素晴らしいものですが、実は**あまりアドバイスに固執しなくても大丈夫**なんです。

あなたが上司や先輩に相談してみた時のことを思い出してみてください。相談してみたものの、上司や先輩から一方的に「もっとこうしたほうがいい、ああしたほうがいい」と言われ、モヤモヤしたまま話が終わった経験ってないでしょうか？

これは上司や先輩のアドバイスが的外れだったという場合もありますが、それ以上に「ちゃんと自分の話を聞いてもらえた」という感覚を持てていないことが原因だったりします。

だから、後輩や部下から相談を受けた時に大事なのは、**相手が何を訴えたいのか、どんな気持ちになっているのかを丁寧に聞くこと**なんです。

とはいえ、「早く困っていることにアドバイスしないと信頼関係が壊れるんじゃないか？」って考える人もいると思います。

たしかに、どれだけ深刻な問題か、どれだけ早急に解決する

必要があるか、などによってケースバイケースにはなります。

そこで、一つの目安として**「相手の困り度が大きいと感じるほど、まずは話を聞くことを優先したほうがいい」と覚えておくといい**と思います。

というのも、まずは相手の気持ちに共感をしないままアドバイスだけしても「自分のこと何も分かっていないくせに！」と思われ、相手との関係にヒビが入るかもしれないからです。

相手が硬い表情をしている時は、まず丁寧に話を聞いてみてください。適切なアドバイス以上にあなたと相手の信頼関係を強くしてくれるはずです。

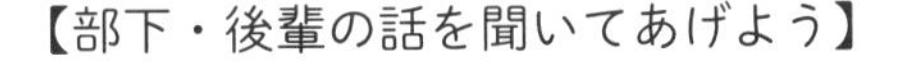
【部下・後輩の話を聞いてあげよう】

Point

「すごく困っているんだね、どうしたらよいか一緒に考えよう」と言える上司・先輩を目指そう。

Chapter 3-7

「全て完璧にやろう」と思わなくたっていい

——なぜなら心理学的には、完璧でない人ほど幸せな人生を歩むと分かっているから

マジメな人ほどミスなく完璧に仕事をしようと頑張るものです。完璧にこなそうとするのはもちろん素晴らしいこと。**でも常に完璧を追求するって結構つらいことなので、完璧じゃなくたっていい**んです。

会社にいると上司に仕事を提出した時に「これでミスはないよな？」などと言われたりします。こういう上司って仕事の評価が減点方式だから、「仕事は常に100点満点を取らないといけない」って思わされたりするものです。

もちろん仕事は常にお客さんや同僚など人と関わるものなので、手を抜いていい加減にやってもいいってわけではありません。周りの迷惑になるようなミスはなるべく避けていくべきだと思います

でも、どんなに優秀な人でも常に100点満点を取れる人っていないんですよね。そういう人は100点が取れなかった時にポキッと心が折れてしまったりします。「完璧じゃない自分＝ダメなヤツ」って考えてしまうからつらいんです。

だから、**普段は70～80点くらいを目指しておくのがちょうどいい**と思います。**100点を取ろうとするのは本当にここ**

ぞって時だけで十分です。

とはいえ、「完璧じゃないと自分が許せない」って思う人もいると思います。ですが、もしあなたが今いる会社でずっと活躍していきたいと思うなら、完璧を目指しすぎないほうがいいです。

心理学では過度な完璧主義のことを**「全か無か思考」**と呼びます。文字通り**80点、90点だろうと、100点以外は全部0点みたいな考え方**です。

全か無か思考が強すぎる人は、100点じゃなかった時にいつも自分を責めてしまうので、うつ病になりやすいと多くの研究でも明らかになっています。

たしかに、会社はあなたに熱意を持って仕事に励み、活躍してもらうことを望んでいるでしょう。でも、あなたが完璧な仕事をしようとするあまりに自分を消耗させすぎて、いずれ心をパンクさせてしまうよりも、**ずっと健康的に長く働き続けてくれることを求めている**はず。

仕事は短距離走ではなく何十年も長く続くマラソンです。無理のないペースで走っていくにはどうすればいいかを優先して考えてみてください。

Point

100点を取ろうとするよりも、程よく頑張って長く活躍するほうがよほど大事。

Chapter 3-8

「叱られるうちが華だ！」という言葉を真に受けなくたっていい

――なぜなら心理学的には、人を指導するのに感情的になる必要はないから

「若いうちしか注意してもらえないんだぞ、だからちゃんと聞いておけよ」みたいな感じで上司が部下を説教する時に、この言葉がよく使われます。

こう言われると、上司からの強い言葉の説教も我慢して聞かなくちゃいけないと思うかもしれませんが、**あまりこの言葉にとらわれすぎる必要はない**と思っています。

部下を指導するのは上司の重要な役目なので、もしも部下に改善点がある場合、そのことを指摘するのは正しい行動だと思います。ですが、本当に「叱られるうちが華だ」という言葉を使う必要はあるのでしょうか。

仕事の指導は感情的にならなくても必要なことを淡々と伝えて、部下に行動を変えてもらうように話をすれば済むはずです。なのに、**「叱られるうちが華だ」という言葉を使ってなぜ説教するのか、それは上司が自分の怒りをコントロールできない言い訳にしたいから**です。

こういう言葉を使う上司にありがちなのは、ついカッとなって自分の怒りをコントロールできず部下に強い言葉を浴びせてしまったり、説教する以外の指導方法をきちんと学んでいなかったりします。

部下を管理する立場として働いている上司の中には、部下の指導方法を勉強しないまま上司になっている人もいます。そういう上司ほど「自分も若い時は叱られて育ったから」と自分の感情的な叱責を正当化して、部下に押し付けてしまっているという傾向があります。

会社員として成長することは大事にしつつも、**普段から「叱られるうちが華だ」を使って説教している上司の言葉はうのみにしないよう気をつけてください。**

【説教したがりの上司はスルーしよう】

Point

どんなに若かろうと強く叱責されれば心が傷つく。そのことを意識していない上司には要注意。

Chapter 3-9 「嫌な人とでも仲良くするのが社会人だ」と思わなくたっていい

——なぜなら心理学的には、会社の人間関係はそこまで重要じゃないから

上司や先輩から「嫌な人とでも仲良くするのが社会人だ」って言われた経験がある人も多いでしょう。でも、どう考えたって嫌な人と我慢してニコニコしながら一緒にいるのはつらいですよね。だったら**無理に仲良くしなくたっていい**んです。

僕が以前お会いした40代男性のタカハシさんは自分と同期入社した同僚といつも仲良くしていました。周りから見ても親友のような感じで、休日も一緒に出かけることが多かったようです。

ですが、5年、10年とたつにつれて、だんだんとその同僚の態度が目に余るようになりました。同僚が何度も会社を遅刻したり、取引先からの注文を忘れるようになりました。間に合わない仕事をタカハシさんがカバーしたのに、同僚からお詫(わ)びの一言もなかったようです。

次第にその同僚と一緒にいるのが苦痛になってきましたが、優しいタカハシさんは同僚に言いたいことも言えませんでした。本当は休日には家族とゆっくり過ごしたいのにもかかわらず、同僚からお出かけに誘われればいつも我慢して付き合い、楽しそうに振る舞っていました。

タカハシさんは「我慢してでも仲良くしておかないと関係

が悪くなって、相手に嫌な思いをさせるんじゃないか」と気にしていました。そこで僕から、会社の人間関係はあくまで仕事に支障がない程度に関わればいいので、嫌ならば無理にプライベートまで付き合う必要はない、と伝えました。

それからタカハシさんは同僚との関係を仕事上で関わる程度にとどめ、休日は家族で過ごす時間を増やしたら、徐々に気持ちが楽になっていきました。

心理学の**「対人関係療法」**という治療法においては、**家族は一緒にいる期間が最も長く、自分の心に大きな影響を与える存在だから優先して大事にしたほうがよく、一方で仕事上の人間関係は仕事が円滑に回る程度に関わればよい**と考えられています。

だから仕事上の礼儀はわきまえるとしても、**無理にプライベートな時間を割いてまで付き合いたくない仕事の関係者と一緒にいる必要はありません。**プライベートを犠牲にしないと仕事に支障が出るくらいなら、上司に相談して対応を考えてもらうというのも一つの手だと思います。

たとえ仕事がしんどかったとしても、家に帰って家族が温かく迎えてくれればホッと一息つけて、また明日から頑張れるものです。ぜひ家族との時間を大事にしてみてください。

Point

家族と仕事の関係、どちらを優先すべきか迷ったら、家族を選んだほうがよい。

Chapter 3-10 転職しようとする時の「お前なんかどこ行っても通用しないぞ」という言葉は無視していい

——なぜなら心理学的には、経験の長さと実力は必ずしも相関しないから

会社を転職しようとすると、上司が捨てぜりふのようにこの言葉を使うことがあります。面と向かって言われるとショッキングな言葉ですが、**実はこれはあなたではなく上司側の問題である場合が多いので真に受ける必要はありません。**

そもそもどんな人であろうと、どの職場に行っても全く活躍できないなんてことはありえません。本当にそんな市場価値のない人材を採用していたなら、その上司がいる会社の人事に問題があると言えるのではないでしょうか。

とはいえ、「社会人経験の長い上司の言葉なら一理あるんじゃないか？」と考える人もいるかもしれません。たしかに、上司の言っていることが100％間違っているとも言い切れないでしょう。

そんな時はその上司の転職経験を確認してみてください。もし今の会社にしか勤めたことがない上司だったら、「お前なんかどこ行っても通用しないぞ」という言葉の信ぴょう性は薄いと判断してよいと思います。

「認知的不協和理論」といって、**人は自分の行動と言葉につ**

じつまを合わせたいと思う心理が働きます。自分が今まで頑張って働いてきた会社から部下が転職するということは、上司の立場からすると自分が今までやってきたことを否定されたような気持ちになったりします。だから、上司が自分を肯定したいがために、転職を否定するような言葉を使ってしまうんです。

それに、「お前なんかどこ行っても通用しないぞ」という心ない言葉で人を傷つけてしまうこと自体、社内のコミュニケーションに問題があると考えられます。この言葉を言われたら「転職を決めてよかった」と思ってもよいかもしれないですね。

【上司の理不尽な言葉は流そう】

Point

どこに行っても通用しない人はいないから、何も気にせず新天地で存分に頑張ればいい。

Chapter 3-11

失敗をしちゃいけないと思わなくたっていい

——なぜなら心理学的には、失敗をすることによるメリットもたくさんあるから

仕事に完璧を求めて減点方式で自己評価をしていると、どうしても「失敗をすることは許されない」と思いがちです。でも、**失敗をしたからこそ多くを学べて成功に近づけるし、これから取り返しのつかない失敗を防ぐことができるようにもなる**、そんな考え方もありなんじゃないでしょうか。

そもそも、失敗を絶対にしないってシンプルに難しいですよね。人間なんだからどんなに慣れた仕事だって常に失敗ゼロってことはありえないと思います。

それなのに、いつも「あぁこんなミスしちゃった、自分ってダメなヤツだな。もっと頑張らないと・・・」って考えたら、自分を追い詰めてしまいます。それじゃあ、またミスをするんじゃないかって次の仕事が不安になっちゃいますよね。

だから僕のお勧めは**積み上げ方式で自分を評価する**ことです。**できなかったことに着目するんじゃなくて、できたことに対して自分を評価する**やり方です。

たとえばミスをしたとしても、「上司に提出する書類の中にある売り上げデータの数値にミスがあったけど、確認してミスに気づけたから、後で訂正した書類を出し直すことができた」みたいな評価をすればいいんです。そして新しい数値のチェック方法を導入すれば次からミスを防ぎやすくなりますよね。

とはいえ、「そんなのは単なる都合のいい解釈じゃない？」って思う人もいるかもしれません。それはその通りだと思います。ですが、**同じ物事でも自分にとって都合のいい解釈をしたほうが、余計にメンタルを落ち込ませずに済みますよね。**

また、失敗をしたからといっても、その経験は必ずしも無駄にはなりません。とある強力な接着剤を開発する実験で失敗してできたのは、くっついたり剥がれたりしてしまうような液体でした。一見すると、実験はただの失敗で終わりですが、実験者はその特徴を他で活かすことができないかと考えました。その結果、出来上がった発明が付箋だったんです。

失敗したことだってあなたの活かし方によってはあなたの人生の財産になります。失敗を恐れずいろんなことにチャレンジしてみてください。

Point

失敗を活かすことができれば失敗のままでは終わらない。

Chapter 3-12

イジられても我慢しなきゃと思わなくたっていい

——なぜなら心理学的には、イジられるのは相手のデリカシーのなさが原因であって、あなたのせいではないから

若いうちは会社にいると先輩や上司からイジられたりすることもありますよね。普段からコミュニケーションを取っている間柄で、イジり方がうまければ笑い話で終えられます。

ですが中には、あなたの見た目や収入など簡単には変えられないことをイジってくる人がいます。

「言われていることは正しいから・・・」と反論しづらいかもしれませんが、そういう人は大人としてのデリカシーがない証拠です。**決してあなたが我慢する必要はありません。**

他の人がいる前で「お前太ってるよなw」とか「月にいくらもらってんの？」みたいに、他人に言いたくないことを平気でイジってくる人がいます。

こういう人は､大人としての礼節を欠いていると思います。容姿や収入というのは周りが思っている以上にコンプレックスがあるものです。それをイジっておいて「こんなの冗談なんだから気にするなよ」という言葉で済まされるものではありません。

そんな人とはもう話したくない、一緒に仕事したくないという気持ちにもなりますよね。

とはいえ、「イジられるような原因がある自分が悪いのでは？」と思っている人もいるのではないでしょうか。ですが、こういったデリカシーのないイジりをするのは、明らかにイジるほうの問題です。

実は、上司や先輩がイジりをする時は、心のどこかで人間性や仕事ではあなたよりも優位に立てないと思っている場合があります。

自分のその気持ちを解消しようとして、上の立場を利用してイジってきたりするんです。

社内の上下関係を利用して、あなたが言い返してこないと分かっていてイジってくる卑怯(ひきょう)なやり方です。なので、ずっとあなたがそのイジりで悩んでいるようであれば、さらに上の上司に相談してみてもいいと思います。

Point

僕たちはお笑い芸人じゃないんだから、他人のコンプレックスに触れるようなイジりは許されない。

Chapter 3-13

「みんなつらいんだから我慢しろ」と言われたからって我慢しなくていい

——なぜなら心理学的には、あなたのつらさは否定されるべきではない大切な感情だから

仕事量が多すぎていつも残業ばかり、もう疲れ果てて少しでもいいから業務量を調整してほしいと上司に相談したのに、「みんなつらいんだから我慢しろ」の一言で片付けられてしまうことがあります。

こう言われたからといってしんどい気持ちはなくならないし、そのまま無理を続けたらあなたの心がパンクしてしまう可能性だってあります。だから**この言葉を真に受けずにつらい時は休んでもいい**んです。

上司がこの言葉を使う理由は主に2パターンあると考えています。一つ目は、上司が業務量を調整して部下の負担を軽減しようとする努力を放棄している場合です。

上司にあまり調整能力がない、もしくは調整するのが面倒という理由で「根性で何とかしろ」という精神論を振りかざしています。

二つ目は、心理学の**「偽の合意効果」**が働いている場合です。これは、**他の人も自分と同じように感じているはずだと思い込む傾向**のことです。だから、「仕事はつらいもので、そんなふうに感じるのは当たり前。みんなそう思って我慢してやってる」と思っているんです。

実際には、本当は他の同僚も業務量を調整してほしいと思っているのに、そういう上司に相談したところで否定されるだけだから言い出せない、というのは往々にしてあります。

頑張ることは大事ですが、我慢には限度があります。我慢をしすぎて体調を崩すくらいなら、少し強引にでも体を休める時間を作ったほうがいいと思います。

とはいえ、「みんなが頑張っている中、自分だけ休むのは気が引ける」なんて心配になったりもしますよね。ですが、上司のいい加減な仕事への態度や偏った考え方にあなたが全て合わせなきゃいけない理由はないんです。

それに、どこまで仕事のストレスを受け入れられるかというキャパシティだって人によって違って当たり前です。**これまで周りに合わせて頑張ってきたんだから、本当につらい時くらい自分中心になったって悪いことじゃありません。**

自分のつらい感情を否定されるというのは心に深い傷を残すものです。そんな上司と一緒に仕事を続けていれば、いつか心を壊してしまうかもしれません。そうなる前に、周りのことは気にせず自分を大切にして休んだほうがいいんです。

Point

つらいという感情を否定してくる人とは一緒にいないほうがよい。

「俺が若い時はもっと大変だった」という言葉をマジメに受け取らなくていい

——なぜなら心理学的には、今のあなたが当時と同じように大変な思いをする必要はないから

これも部下から「仕事がつらい」という話をされた時に上司がよく使う言葉です。「俺が若い時はもっと大変だった」と言われると、「じゃあ自分も頑張らなきゃいけない」と思わされたりしますよね。けれども、**頑張ったからといってあなたのつらい気持ちが消えるとは限りません。**

過去に上司が頑張っていたことはたしかに事実かもしれません。でも人手不足と言われている昨今、今と昔では会社の状況や社会情勢も大きく変わっています。

けれども、この言葉を使う上司は今と昔の状況の違いに目を向けず「俺だって苦労したんだからお前も苦労しろ」という気持ちであなたと話していることが多いんです。

とはいえ、「上司にこう言われるってことは、会社から自分は頑張っていないと評価されているんじゃないか？」と思ってしまいやすいですよね。ですが、「俺が若い時はもっと大変だった」というのは上司側の認識の問題であって、**あなたの努力が足りないからではない**んです。

これも Chapter3-10 と同じく**「認知的不協和理論」**が関係しているケースです。**人は自分の行動と現状の認識に矛盾が出ないようにしたいもの**なんです。部下が仕事で苦労しているのは会社の体制に問題があるからだと結論づけると、上司は「自分は問題がある会社で本来しなくてもいい苦労をしてきた」ということになってしまいます。だから上司は「あの時の苦労があったから今がある」と自らの苦労を美化する傾向があります。

部下の立場でこういう上司の認識を変えるのは簡単ではありません。だから心の中で「**あなたとは考え方が合わないですね、今と昔じゃ状況が違うんですよね**」と思っておけばいいし、本当につらい時は無理せず逃げたっていいんです。

【上司の苦労自慢はスルーしよう】

Point

「上司が過去にどれだけ苦労していようが、それは自分が同じ苦労をしなくちゃいけない理由にはならない」という認識を持とう。

Chapter 3-15

何度も上司から理不尽にキレられるなら仕事を辞めたっていい

——なぜなら心理学的には、早めに逃げないと逃げにくくなってしまうから

「お前は全然使えないな」「バカなの？」のような平気で人を傷つける言葉を使う上司がいます。そして「仕事のできない自分が悪い、ここで逃げちゃダメだ」と思って理不尽な上司からいつもキレられている人もいます。

どれだけ自分はメンタルが強いと思っている人でも、そんな上司がいる会社にいつまでもいると心を壊してしまうかもしれません。ぜひ手遅れにならないうちに**退職も含めて今後のことを考えてみてください。**

僕の知り合いである20代男性のカワグチさんはとある工場で働いている人でした。就職した当初から、課長に強い言葉で叱責され続けて何度も辞めたいと考えていました。

ある日、カワグチさんはさらに上の立場の上司である部長に、課長との関係に悩んでいて仕事を辞めたいと思っている、と伝えました。ですが部長から「まだまだ若いんだから頑張ってほしい」と言われただけで、退職はできませんでした。

次第にカワグチさんは「もう何を言ってもダメなんだ･･･」と思い、転職することも諦めてしまいました。その後も毎日嫌々ながら職場に行っては疲れ果てて帰ってくる、という生

活を繰り返しているようです。

とはいえ、上司との関係に我慢している人たちの中には「もう少し耐えていれば仕事ができるようになって怒られることが減るんじゃないか？」という希望を持っている人もいるでしょう。

たしかにその考えは間違ってはいませんが、一方であまりに我慢しすぎると、どんどん辞めたくても辞められなくなってしまう可能性もあるんです。

「学習性無力感」というものがあって、**人は不快な環境から逃げたいと思っているのに逃げられないままでいると、そのうち逃げること自体を諦めるようになってしまう**んです。

カワグチさんはまだ20代とお若いですし、転職しようと思えばいくらでも働き口はあったはずです。今の時代ならば、自宅にいながら副業をして稼ぐこともできます。ですが、今の職場から離れることを諦めてしまったため、本来つかめるはずだった別の人生を歩む可能性を閉ざしてしまいました。

だから、「この上司はちょっと言い方がきつすぎるな、もうついていけないな」と思うんだったら早めに逃げることをお勧めします。

Point

理不尽にキレる上司から逃げるのは、早ければ早いほうがよい。

Chapter 3-16

第一印象が悪くなっても気にしなくていい

――なぜなら心理学的には、ギャップを見せたほうがより印象がよくなるから

第一印象がいい人って信頼しやすいですし、その後の仕事もスムーズに進みやすくなるものです。でもいろいろ気を遣ってはいるんだけど、どうも自分の見た目や雰囲気はあまり第一印象がよくならないって悩むこともありますよね。

そんな人に朗報です。実は、**初見でついた印象というのは後から挽回が可能**なんです。だから、あまり気にしすぎないでください。

第一印象は顔や体型など簡単には変えられないものも大きく関わってきます。もちろんお金をかければある程度変えることもできますが、人によってはそれが難しいこともありますよね。

変えられないもので悩むくらいなら、**ビジネスの場面では、見た目に神経質になるよりも、その後の行動で相手の信頼を得られるような努力をしていくほうがいい**と思います。

とはいえ、美男美女が仕事で成果を出しているところを見ると「なんだかんだ言っても、見た目からの第一印象がよくないと信頼されないのでは？」と思う人もいるかもしれません。ですが、ギャップを見せることで印象を好転させることもできるんです。

「コントラスト効果」といって、**人はギャップを見せられると、それが非常に強く印象に残りやすい**んです。たとえば、第一印象では暗くてなんとなく頼りなさそうな人が、いざプレゼンが始まった時にすごく分かりやすく納得感のある話をしていると、後でその人の印象はとてもよくなったりするんです。

もちろん、寝癖を直す、無精ひげをそる、不自然にならないメイクをする、古くなった服や靴を取り換えるなど、**最低限の身だしなみには気を配ったほうがいい**と思います。その上で、**あえてギャップを狙うことも印象をよくするための戦術の一つ**と言えます。

【ギャップを見せよう】

Point

ギャップを狙えば、悪くなった第一印象を覆すことだってできる。

Chapter 3-17

失敗をしても反省しなくたっていい

――なぜなら心理学的には、過去のことを思い返すよりもこれからどうするかを考えるほうが重要だから

子どもの頃、親や学校の先生に「ちゃんと反省しているのか！」と怒られた人も少なくないと思います。この経験からなんとなく「失敗をしたら深く落ち込んで反省すべきで、そうしないと不真面目だと思われる」と考えてしまいますよね。仕事で「何であんな失敗をしちゃったんだろう、自分は情けないなぁ」って思った経験がある人もいるのではないでしょうか。でも**実は反省ってそこまで重要じゃない**んです。

もちろん失敗を放置したり、見て見ぬふりをしてもいいというわけではありません。ですが実際には、反省だけしたところで「悪いことをしてしまった・・・」って感じるだけで、状況は何も変わらないですよね。

じゃあ反省ではなくどうすればいいか？失敗をした時に大事なのは、**次どうすべきなのかという「改善」**です。なぜ失敗してしまったのか原因を考えて、次から何をしておけば同じ失敗を防げるか対策して行動する、そうすれば次の失敗を防ぐことができるんです。

とはいえ、「反省をしなかったら自分がダメ人間になってしまうのでは？」と思う人もいるかもしれません。実はうつ病の研究によると、過去の嫌なことを何度も反すうすると、気分が落ち込みやすくなると分かっています。その一方で、**今**

後の問題解決に向けて動いていこうとする思考であれば気持ちを緩和させると言われているんです。

僕がこれまでお会いした相談者の中で、自分で問題を解決していけた人に共通するのは、**失敗→改善→行動のサイクルを何度も回せること**でした。

20代女性のウチダさんはとあるコンビニで働いていました。レジ操作や商品の発注でミスしてしまうことが多く、その度に「私はダメ人間だなぁ」と自分を責めてしまっていました。次第にどうしても仕事に行く気力がなくなって欠勤するようになりました。精神科に行ったところ、うつ病と診断されて服薬治療も受けていました。

そこでウチダさんは自分のことを責めて考えてつらくなるため、まずは失敗をしても自分を責めないようにしようと決めました。また、ミスした時には業務の合間に先輩に質問してどうやってミスを防いだらよいかアドバイスをもらうようにしました。そうやってウチダさんは、徐々に行動を改善することで毎日の生活に支障がないくらいに体調が改善しました。

失敗を考えるだけで終わらず「どうしたら同じ失敗を繰り返さなくなるだろう？」という点に目を向けてみてください。

Point

仕事では失敗をクヨクヨ悩む必要はなく、改善と行動を重ねていけばいい。

Chapter 3-18

「会社のために働かなきゃ」と思わなくたっていい

——なぜなら心理学的には、会社よりも自分のために働くほうが成績はよくなるから

昔は「会社のために身を粉にして働くべき」という時代がありました。ですが、もう時代は変わっています。**たとえ会社に身を置いても、あなたは自分のために働いていい**んです。

「会社のために」と考えて当たり前のように深夜までの残業や休日出勤を繰り返し、メンタルの調子を崩してしまう人は少なくありません。

自分が好きで長時間労働をするのであれば、それでもいいと思います。ですが、メンタル不調になった多くの人は「何のために仕事をするのか？」という目的を見失ってしまっていたという印象があります。

僕にとって仕事の目的はあくまでも「自分を幸せにするため」です。週5日、1日7～8時間も仕事で人生の時間を使っているのに、会社に貢献できていても自分があまり幸せだと感じないならメンタルを消耗してしまうのは当然です。

とはいえ、「自分のことばかり考えていたら会社に貢献できずクビになるのでは？」なんて心配もあるでしょう。ですが、メンフィス大学の調査によると**「会社のために頑張る人」よりも「自分のために頑張る人」のほうが、仕事で高い実績を残している傾向がある**と明らかになっています。

たしかに「もっと仕事ができるようにならないと」と思っていても、仕事と並行してスキルアップの勉強をするのはなかなかやる気が出なかったりするものです。

でも「自分のためにもっとお金を稼ぎたい」と考えれば、頑張る気にもなりやすいですよね。それがやがて実績に結びつき、結果的に会社への貢献にもなります。

会社のために働くだなんて聖人のようにならなくていいので、「どうやって仕事したら自分が幸せになれるのか？」と考えてみてください。

【自分のためにに働こう】

Point

みんなもっと貪欲に自分の幸せを追求していっていい。やり方を間違えなければ、それがひいては世の中のためになる。

Chapter 3-19

「高学歴にはかなわない」と思わなくたっていい

——なぜなら心理学的には、高学歴は相手の特徴の一つにすぎず、あなたのほうが優れていることもたくさんあるから

会社には一人くらい高学歴のすごいヤツがいるものです。バリバリ仕事をこなす姿を見て、「あの人に比べて自分は･･･」と落ち込むこともあると思います。でも**あなたはそんな人と比べる必要はないし、決して劣等感を持たなくていい**んです。

高学歴というのは、その人のステータスの一つにすぎません。高学歴だから全てがうまくいくわけでもありません。どんな秀才でも一人の人間ができることは限られているし、**あなたのほうが優れていることもきっとあります。**

とはいえ、「仕事のできる高学歴の人は何をやらせてもすごいよなぁ、自分なんて足元にも及ばない」なんて思ったことはありませんか？これ、実はある心理学の効果で、すごく見えちゃってるだけって可能性があるんです。

「ハロー効果」といって、人は**ある一つ分野で優れた特徴を持った人のことを他の分野でも優れていると勝手に判断してしまう傾向**があるんです。

30代女性のナカタさんは仕事で周りから過剰な期待をされることに悩んでいる人でした。ナカタさんは有名大学を卒業していて、容姿端麗だったこともあり、いつも周りから「デ

キる人」だと思われ、たくさんの仕事を任されていました。

しかし、実際にはナカタさんにも苦手なことがたくさんありました。細かい数字の計算が苦手で書類のミスが頻繁にあり、他の人よりも書類作成に長い時間がかかっていました。ですが、苦手なことを素直に周りに相談できないままで、周りから「この人はデキるだろう」と思われていることがナカタさんにとってはとても苦痛だったのです。

そのため、ある日からナカタさんは自分が苦手なことを思い切って周りに伝えるようにしました。自分が得意なことを率先して引き受け、その代わり苦手なことは別の人に代わってやってもらうことで気持ちが楽になっていきました。

そのうち周りの人も「ナカタさんも決して完璧なわけではなく、できないこともある」という認識になり、上司から指示される仕事はなるべくナカタさんの得意分野に合ったものをチョイスしてもらえるようになりました。

その他、高学歴で仕事ができても、異性からはモテない、だらしなくて部屋が汚い、運動は苦手、なんてことも珍しくありません。**あなたが知らないだけで、みんなと同じように相手は意外とコンプレックスを持っていたりするもの**です。

Point

高学歴の人と自分を比較せず、あなたは自分の強みを活かして仕事をすればいい。

Chapter 3-20 対抗心をむき出しにしてくる人を恐れなくていい

――なぜなら心理学的には、あなたのほうが優位だと思われている証拠だから

職場では何かとこちらの意見を否定しようとしたり、こちらと張り合って打ち負かそうとする人がいたりします。

会議があっても「自分の意見を言ったら、また否定されるんじゃないか・・・」なんて思うと、そういう人が怖くなったりするものですよね。そうなると、言いたいことも言えず、窮屈な思いをしてしまいます。

ですが、**対抗心むき出しの人の心理を理解すれば、必ずしもこういう人を恐れる必要はないと分かります。**

実は、**対抗心をむき出しにしてくる人は深層心理では自信がなくいつも不安**だったりするんです。他人と自分を比較する癖があって、いつも勝ち負けにこだわっています。

だから、同僚が仕事でうまくいっている姿を見ると素直に応援することができないんです。

対抗心をむき出しにされるということは、心の奥底ではあなたには勝てないと思われている可能性があります。自分と他人を比較する人は、自分より格下で追い越される心配もないと思う人を対抗すべき相手とみなさないからです。

そんな劣等感があるから、負けている自分に価値を感じられず、あなたを打ち負かそうと必死になっているんです。

そういう相手には**「この人は不安になっているんだなぁ」くらいに思って、張り合おうとする態度はそのまま放っておけばいい**んです。

あなたはあなたのやるべきことをやっていれば大丈夫。いずれ差が開いてくれば、自然とあなたを打ち負かすことを諦めるようになります。

草野球で周りよりうまくなろうと思っている人でもメジャーリーガーに勝とうとは思わないようなものです。

それに、たとえあなたが負けたとしてもあなたの価値は変わりません。相手の自己満足で終わるだけです。恐れる必要はない相手なのでスルーしておいて大丈夫です。

Point

勝ち負けにこだわっている人の勝負には乗らないほうがいい。

Chapter 3-21

出世しなきゃいけないと思わなくたっていい

——なぜなら心理学的には、地位や名声がなくたって幸せにはなれるから

「バリバリ働いて社長になりたい！」という人もいれば、「ある程度昇進しておかないと周りからカッコ悪いと思われる」など、程度の差はあれ人は地位や肩書が欲しいと思うものです。出世したい気持ちは分かりますし、それを目指すこと自体が悪いとも思いません。ですが、**出世にこだわりすぎないほうが幸せな人生になりやすい**んです。

出世のことばかり考えていると同僚が競争相手にしか思えなくて、仕事へのプレッシャーを感じてきたりしますよね。常に会社からの評価を気にして、同僚に負けないようにすることに躍起になってしまいます。そうなると、常に同僚に仕事で勝った、負けたと一喜一憂することになり、メンタルを消耗しやすくなります。

本当は協力し合えば一人で頑張るよりも大きな成果をあげられるはずなのに、「自分よりも相手の評価を上げてしまうことになるのでは・・・」と気にすると、助け合うことができなくなります。お互いの足を引っ張り合うような雰囲気になれば、それだけで会社にいるのがしんどくなりますよね。会社から評価されて出世することを目指していたはずなのに、なんだか逆効果になってしまっています。

嫌いな人とまで無理に仲良くする必要はありませんが、**出世に対してメンタルを消耗するくらいなら、出世への考え方を見直してもいいかもしれません。**

とはいえ、「出世しないと自分だけが取り残されるような気がして不安になる」という気持ちになることもあるでしょう。ですが、幸せな職業人生を送ることを目指すのであれば、出世と人間関係のバランスには気を遣ったほうがいいんです。

ハーバード大学が724人の被験者を75年にわたって追跡調査した成人発達研究によると、**健康で幸せな人生を送るのに最も重要なものは富や名声ではなく良質な人間関係**だと明らかにされています。

出世にこだわって同僚とギスギスした関係の中で仕事をするよりも、同僚との信頼関係を作り、協力して仕事を進めていくほうが幸せを感じやすいと考えられているんです。

人間関係は良くも悪くも自分のメンタルに大きな影響を与えます。地位や肩書にこだわりすぎて、本当に自分に幸せをもたらしてくれるものは何なのかを見失わないでください。

Point

たとえ自分が望んだ地位や名誉が得られなくても、人間関係が良好であれば幸せになれる。

Chapter 3-22

プライベートを犠牲にしてまで仕事しなくてもいい

——なぜなら心理学的には、「もっと働けばよかった」という後悔はしないから

先のことばかり考えすぎて今を楽しめない人はたくさんいます。学生時代は「いい大学に入るために」と友達関係を犠牲にして頑張る、会社に入ったら「老後のために」と家族との時間を犠牲にして頑張る、あなたもそんなふうに楽しいことを犠牲にして頑張ったりしていませんか？だとしたら、**今のあなたがもっと楽しめることを優先してもいいかもしれません。**

将来を見据えて仕事を頑張るのは決して悪いことではありません。すさまじい速度で変化するこのご時世に、先々のことを全く考えないほうが不安になる人もいるでしょう。

でも、僕は**若いうちにしかできない、今しかできないことを楽しむのも大切**だと思います。いざ仕事を引退した後にお金が手元にあっても、若い時のように体の自由が利かず、昔のようなモチベーションをなくしてしまう人が少なくないからです。

とはいえ、「実際老後になったらお金がなくて後悔してしまうんじゃないか？」と心配になる人もいるでしょう。たしかに老後に安定した生活をするだけのお金があるに越したことはありませんが、今を楽しまずに後悔するのももったいないと思います。

これは緩和ケアの現場にいるスタッフが患者からよく聞く話ですが、**もう余命があまり長くないと言われた患者が死ぬ間際によくする後悔の一つは「仕事をしすぎた」**だそうです。

仕事に時間を使いすぎた結果、自分の肩書に近寄ってきた人が退職した途端にいなくなって孤独になった、家族を大切にしなかったから家に居場所がなくなった、というのは珍しくありません。一方で、「もっと働いておけばよかった」と後悔する人はあまりいないそうです。

仕事とプライベートの両立は簡単ではありませんが、もし仕事に時間を使いすぎているようであれば、今の自分が楽しめることにも目を向けてみてください。

【プライベートをもっと楽しもう】

Point

お金は墓場まで持っていけない。だったら今を楽しむために使うことを考えてもいい。

Chapter 3-23

「嫌な上司がいるから自分は不幸だ」と思わなくていい

——なぜなら心理学的には、上司がいるメリットに目を向ければあなたが健康になれるから

会社に気が合わない、口うるさい上司がいると「何でこんな会社に入っちゃったんだろう・・・自分はついてないなぁ」と思うかもしれません。

毎朝会社へ行く足取りが重かったり、「早く週末にならないかな・・・」なんて考えちゃったりもしますよね。ですが、**こんな上司でも一緒に働いていることのメリットに目を向ければ、気分も少しはマシになります。**

もちろん、あなたの人格を否定するような度が過ぎるパワハラだったら、会社の人事部などに相談したほうがいいかもしれません。ですが実際には、パワハラと言えるほどひどくはないけれど、毎日一緒にいるのは苦痛、という場合が多いと思います。そうなるとすぐその上司と離れることもできないし、つらい気持ちだけが続きますよね。

そんな時はぜひ**その上司と一緒にいることのメリットについて考えてみてください。**どんなにムカつく上司であっても一つくらいは良いところがあって、それはあなたが仕事をする上で助けになったり、参考になったりするものです。

とはいえ、「そんなのは単なる気休めでは？」って思うかもしれません。ですが、この方法は**「ベネフィット・ファインディング」**といって、**ストレスのかかるような状況の中でも**

プラスの面を見つけることによって、メンタルの病気を予防できたり、人生の満足度が上がると言われているんです。

20代女性のトガシさんはある病院に看護師として勤めていましたが、いつも看護師長から厳しい口調で注意をされていました。トガシさんは看護師長の顔を見る度に「また注意されるのかな・・・」と不安になっていたそうです。

そこで僕はトガシさんと一緒に看護師長と一緒にいることで何か良いことはなかったかを振り返ってみました。そうするとトガシさんは「看護師長は口調は強いけど、言ってることは正しいし、看護師長の指導の通りにしたら患者さん対応がうまくいくようになった」と言っていました。

そのうち「どんな人でもいいところもあれば悪いところもある。ちょっと言葉が強いところは残念だけど、自分が看護師長になった時にはそういう言い方はしないようにしようって勉強になった。あとこれからも自分の足りないところは看護師長に教えてもらったことをやっていけば早く成長できる」と思えるようになりました。こうしてトガシさんは看護師長の前であまり不安になることもなくなっていったようです。

どんなことでも捉え方次第でストレスの度合いは変わります。ぜひ物事の良い面にも目を向けてみてください。

Point

嫌な上司でも学ぶところを見つければ、それはあなたの糧になる。

Chapter 3-24

「こんな会社いつだって辞めてやる！」と思いながら仕事したっていい

――なぜなら心理学的には、選択肢が増えることで心に余裕ができるから

自分に合わない会社にいる時「嫌だけど辞めるわけにはいかない・・・」って考えていると逃げ道がなくてつらい思いをしますよね。

こんな時は**「こんな会社いつだって辞めてやる！」というマインドを持てば、周りに無駄に気を遣わなくて済むようになり、ストレスを減らせる**んです。

人は自分の力ではどうにもコントロールできない状況に対して大きなストレスを感じるものです。だから、辞めたいのに辞められないというのは会社にがんじがらめにされているような感じにもなります。

人によっては「会社の言いなりになっている自分が情けない」なんて悲しい気持ちになったりもするのではないでしょうか。

そんな人は無理して今の会社に居続けようとするのではなく、転職に向けて準備を進めてみてほしいです。

とはいえ、「仕事だって忙しいし、転職なんてすぐにはできないから困ってるんだよね・・・」というのが現実ではない

でしょうか。もちろん全員が今すぐ転職できるわけではないでしょうが、**あなたの考え方は今からでも変えることができるはず**です。

まず、今まで辞めたくても辞められなくて悩んでいた人は「こんな会社いつだって辞めてやる！」というマインドを持つことによって、初めて「辞める」という選択肢に向かうことができます。

そうして、辞めるためには今いる会社で評価されることではなく、**あなたが市場で評価されるために何をすればいいかに視点を移してみてください。**

そうすれば、**自然と上司の顔色をうかがうようなことはしなくて済み、市場で評価されるような仕事に集中することができるようになります。**

それが結果的にはあなたの社会人としての価値が上がり、今いる会社でも評価されるようになります。自分の市場価値が上がれば、他の会社からオファーをもらうことも可能になるでしょう。

Point

「会社に残ることもできるし、他の会社に移ることもできる」という状態になれば、今いる会社に依存しなくてもよいから楽。

毎日ヘトヘトになるまで仕事しなくたっていい

——なぜなら心理学的には、余力を残してキリのいいところまでで仕上げるほうが余計な疲労を溜めないから

仕事に熱意を持っている人ほど「定時になるまでやれるところまでやる」というスタンスで仕事をしている人が多いと思います。

もちろん「自分の力を全力で出し切って帰る」というのは、社会人としては決して間違っていない仕事の仕方です。ですが、毎日ヘトヘトになって帰宅してバタンキュー、となるのはちょっとしんどかったりしますよね。それなら、**あえて「キリのいいところまでで終える」としたほうが、気持ちがスッキリと楽になりやすい**んです。

金曜日の夜に仕事が中途半端なところで終わったままだと、土・日曜日は家でボーっとして休んでいたはずなのに、なんだか月曜日にスッキリした感じがしない経験はありませんか？

これは脳の**「デフォルト・モード・ネットワーク」**というものが関係しています。デフォルト・モード・ネットワークとは**意識的な活動をしていない時にも働く脳のベースライン活動**のことで、車のアイドリング状態のようなものです。**脳は意識していなくても常に活動を続けている**んです。

たとえば、18時に勤務終了の人が18時でできるところまで仕事をやろうとすると、どうしても中途半端なところで仕事を終えて帰宅することになりやすいです。切り替えが苦手な人は、無意識のうちに夜や週末もずっとその仕事のことを考えていて、なんだか休んでいるのに休んでいないような状態になりがちです。

また、**「ツァイガルニク効果」**といって、**人は達成できた事柄よりも達成できなかった事柄や中断している事柄のほうをよく覚えている**という傾向があります。

だから、脳はやり残した仕事への意識が残り、家に帰っても無意識的にそのことを考えて脳が疲労してしまうんです。

僕は家に帰っても疲れが取れなくなってしまうようなら、定時ギリギリまで全力で仕事をしなくてもよいのではと思います。**キリのいいところまでで切り上げて残りの時間は翌日以降の予定確認などにとどめて気持ちよく帰ったほうが「今日も頑張ったな！」という達成感が生まれます。そうすれば、翌日に疲れを持ち越さずに済みますし、質の良いパフォーマンスを出しやすいから**です。

もし毎日疲れが抜けきらないと悩んでいる人はキリのいいところまでで終えるというやり方を試してみてください。

Point

定時ギリギリまで仕事しないほうが、脳がリフレッシュして良いパフォーマンスにもつながりやすい。

Chapter 4

プライベート

Chapter 4-1 一人だっていい

——なぜなら心理学的には、大成する人ほど一人の時間が多いから

一人になるのを恥ずかしいことだと思って無理に誰かと一緒にいようとする人がいます。もしくは、本当は一人が好きなんだけど周りから寂しい人のように思われることが気になるという人も少なくありません。ですが、**一人であろうと決して気にする必要はない**んです。

たとえば、なんとなくいつも同じメンバーで居酒屋に行って仕事の愚痴ばかり言っていても、本人が困っている状況は何も変わりません。ですが、愚痴を言い合えばその時だけはスッキリするので何度も同じことが繰り返されて時間を浪費してしまいます。

自分が困っていることを解決したければ、**一人でじっくりとどうしたらいいか考えて行動していく、結果的にそういう人が幸せな人生を歩みやすい**んです。

とはいえ、「他人とコミュニケーションを取らないぼっちだと、何かと人生うまくいかないんじゃないの？」と思う人もいるかもしれません。ですが、大成する人ほど不必要なコミュニケーションを避けて、一人の時間を大切にしているものです。

「集団的浅慮（せんりょ）」といって、**個人だと正しい判断ができるのに集団で協議すると間違った判断を下してしまう傾向**があります。特に、これはメンバーの結束力が強く、反対意見を出しにくい閉鎖的なグループほど発生しやすくなります。

なぜなら集団にいると大した根拠はないのに「自分たちは大丈夫だ」と過信したり、外部の意見を軽視してしまったり、個人的にはおかしいと思ってもグループ内の圧力によって言い出しにくくなってしまうからだと言われています。

仕事が終わってから一人で読書して知識をインプットし、今の自分は何をすべきかをじっくり検討することによって大成する人は多いです。だからあなたが今一人ぼっちだとしても決して恥ずかしいことではありません。

【一人の時間が長い人のほうが将来、幸せになる】

Point
大成する人ほど一人の時間を大切にしているもの。あなたは喜んでぼっちになっていい。

Chapter 4-2

泣いたっていい

——なぜなら心理学的には、泣くことは心を癒やす方法だから

こちらが悲しくて泣いているのに「大人なんだからそんなメソメソ泣くなよ！」などと言う人がいます。でも、**泣くのは恥ずべきことではありません。悲しい時は我慢せずに泣いてください。**

そもそも、大人は泣いてはいけないなどと誰が決めたのでしょうか。楽しかったら笑う、嫌なことがあったら怒ると一緒で悲しかったら泣くことも人間として当たり前の反応です。

感じてはいけない感情なんてありません。なのに、悲しいのに泣くことを許されないというのは、悲しんでいる本人にさらに悲しさを追い打ちするようなものです。自分の気持ちを無理に押し込めていたらいずれ心が壊れてしまいます。

何歳であろうと性別が何であろうと泣いてはいけないなんてことはないんです。

また、悲しいことがあって泣いた後にちょっと気持ちがスッキリしたという経験を持っている人もいるでしょう。これは、**涙には自分の心を癒やす機能がある**からだと言われています。

人間の体に備わっている自律神経には、体を興奮させる「交感神経」と、リラックスさせる「副交感神経」があります。

普段の生活の中では、両者のバランスが取れている状態になっています。

ですが、何かストレスを受けて悲しい気持ちになると、体は「異常事態だ！」と察知して交感神経が一時的に優位に働くため、両者のバランスが乱れてしまいます。涙にはこの自律神経の乱れを回復させてくれる機能があるんです。

涙を流す時には脳内でセロトニンが多く分泌されます。セロトニンは副交感神経を活発にするため「幸せホルモン」とも呼ばれています。泣くとセロトニンが身体をリラックスさせてくれるので、涙を流した後は心が落ち着くというわけです。

もし泣きたいんだけどどうしても人目が気になってしまうという人は、数分でもいいので誰もいない部屋やトイレに行って泣くというのも一つの手です。

大切なのは泣くことによって周囲からどう思われるかよりも、**あなた自身が罪悪感なく素直に涙を流して気持ちを整理させること**です。

泣くことは人の体に備わった自分自身を癒やすための大切な機能です。泣いてはいけないなどと思わず、泣きたい時は思いっきり泣いてください。

Point

大人だって泣いていい。悲しい時は思う存分泣いて心を癒やしてあげよう。

Chapter 4-3

うまく話せなくたっていい

——なぜなら心理学的には、コミュニケーション能力が高い人がいい人とは限らないから

積極的に自分から饒舌にしゃべる人の姿を見ると「すごいなあ、自分もああなりたいなぁ」と思ったりします。話すことが苦手な人ほどそういう人がうらやましく思うものですよね。

ですが、コミュニケーションにおいてはたくさんしゃべれることがいいとは限らず、**むしろ大切なことは他にある**んです。

饒舌にしゃべれる人は一見コミュ力の高いすごい人だと思われます。ですが、実際は周りの人がしゃべりたくてもしゃべれなくなってしまい、「あの人は自分の話ばかりしている」と思われて逆に好かれなくなったりもします。

たくさん話すことで印象がよくなるのは、プロの漫才師のように場の空気を読んでよっぽどおもしろい話ができる人などでしょう。会話に苦手意識のある人が無理に饒舌になることを目指す必要はないと思います。

とはいえ、「たくさん自分から話をしないと相手に楽しんでもらえないんじゃないか？」と心配になる人もいると思います。

これは相手との関係性にもよりますが、特に知り合ったばかりの人との会話では、自分の話は質問された時だけ答えるというスタンスでも十分だと思います。

むしろ、相手と仲良くする上で重要なのは**相手の話をよく聞く**ことです。

ハーバード大学の研究によると **自分の考えや感情を他人に話すということは脳内のドーパミンを増やす効果がある**と明らかになっています。これは美味しいものを食べた時やお金をもらった時と同じくらいの快感を覚えると言われているんです。

人は基本的に相手の話を聞くよりも、自分の話を聞いてほしいという欲求のほうが強いんです。だから、**相手の話を聞いてこの欲求を満たしてあげれば、相手にあなたと話していると楽しいという感情が生まれます。**

そうすれば自然とあなたは「またあの人と話したい」と思われ、その人と仲良くなれます。しゃべることが苦手な人は相手の話をよく聞くことを心がけてみてください。

Point

「話し上手は聞き上手」というのは本当。苦労してしゃべることより聞くことに徹したほうが楽だし、相手の印象もよくなる。

Chapter 4-4

「心配かけたくない」と思わなくたっていい

——なぜなら心理学的には、本音を打ち明ける人のほうが好意を持たれるから

本当は悩んでいることがあるのに、「これを言ったら周りに心配をかけてしまう・・・」と思ってずっと一人で抱え込んでいる人がいます。

周りに余計な心配をかけまいとする配慮は素晴らしいことです。ですが、**自分の本音を打ち明けていくほうが周りと良い関係を築ける**って知ってましたか？

生きていれば誰だって他人に迷惑をかけます。もちろん、相手にあまりにも大きな負担をかけ続けるような迷惑は慎んだほうがいいと思います。

でも、どうせ迷惑をかけてしまうんだったら、「**迷惑をかけるのはお互い様**」くらいに考えてもいいんじゃないでしょうか。あなたが困っている時に助けてもらう代わりに、相手が困っている時にはあなたが力になってあげればいいんです。

家族であれ友人であれ、**あなたを大事にしてくれている人なら、あなたに困っていることがあれば力になりたいと思っているはず**です。

あなたが心配になっていることを打ち明ければ、相手もきっと「心配していることを話してくれて嬉しい」という気

持ちになるはずです。だから**あまり深く考えすぎず、信頼している人に心配事を話してもいい**んじゃないでしょうか。

とはいえ、「本音を打ち明けるなんて相手から嫌がられるんじゃないか？」って気になったりもしますよね。ところが心理学的には本音を打ち明けたほうがいいと言われているんです。

「開放性の法則」といって、**人は自分の本音を打ち明けると相手との関係性がよくなっていくという傾向**があるんです。あなたも誰かの悩み相談を受けた時に「自分のことを信頼して話してくれたんだ」と嬉しい気持ちになった経験はありませんか？これは開放性の法則が影響しているからです。

もちろん心配事は誰かれ構わず打ち明ければいいというものでもありません。できれば、**あなたの話をじっくり聞いてくれる人や、時には反対意見を言いつつも、９割は自分を肯定してくれるような人に話す**ことをお勧めします。

また、解決策を考えてもらうよりも、とにかく自分の気持ちを聞いてほしいという人もいるでしょう。そういう時はあらかじめ相手に「何もアドバイスとかはいらないから聞いてくれるだけでいいんだけど」と言っておけば、相手もあなたの言葉に静かに耳を傾けてくれるはずです。

Point

心配事を話すって決して悪いことじゃない。信頼できる人なら打ち明けても OK。

Chapter 4-5

あまり心配ばかりしなくていい

——なぜなら心理学的には、心配事の約96%は現実にならないから

プライベートでは「家が火事になったらどうしよう・・・」「留守中に空き巣に入られるかも・・・」などいろんな心配が出てくるものです。生きていれば心配の種は尽きませんが、**あまり心配をしすぎず行動しちゃったほうが楽になりやすい**です。

心配している時間って、心配事が何度も頭の中をグルグル駆け巡るからつらくなりますよね。考えるのをやめようと思ってもすぐに頭から消えるわけでもありません。少しの間消えていたとしても、また気がつくと同じことを考えがちです。

もちろん、心配に備えてできる限りの準備をしておくことも大切です。でもそれが終わった後は、いくら心配をしてもあまりメリットはありません。

そんな時は**自分が心配事を忘れられる趣味を見つけてみましょう。**基本的に自分の好きなことなら何でも大丈夫ですが、僕のお勧めは**自然の中を散歩**することです。歩いていると嫌なことから気が紛れますし、お金もかかりません。さらに、自然の中を歩くことはストレス解消効果が高いといろんな研究で明らかになっています。

とはいえ、「心配事が100％起こらないとも限らないし

なぁ・・・」と心配になる人もいるでしょう。

心配事に関する様々な調査によると、人は普段からたくさんの心配をしているけど、**心配事の約80%は実際には起こらなかった**と言われています。また、残りの20%のうち、**約16%は起きたとしても対処できる問題**ということも分かっています。つまり、**心配事の約96%は大ごとにはならないまま終わる**ということです。

心配事が多い人は普段からその心配の内容をメモしておいて、それが実際に起きたかどうかも確認して書き留めておくといいでしょう。そのうち「あまり心配しなくても大丈夫だ」と実感できると思います。

【心配事の約96%は大ごとにはならないまま終わる】

Point

心配事のほとんどは実現しないし、起きたとしても大したことなく終わるから安心していい。

Chapter 4-6 たくさん運動しないとメンタルは改善しないと思わなくたっていい

——なぜなら心理学的には、1日たった10分歩くだけでもメンタルにはいい影響があるから

この本を手に取るような勉強家な方であれば、「運動はメンタルにいい」と知っている人も多いでしょう。でも、実際には「仕事で忙しいからそんなに長い時間運動なんてできないよ」と諦めちゃったりしますよね。

そんな人に朗報です！実は、**必ずしも長時間の運動でなくてもメンタルの改善には十分効果がある**と明らかになっているんです。

2017年に行われた3万3000人以上を対象としたHUNTという観察研究によると、**ウォーキング、ストレッチ、ヨガなどを週に1時間やるとメンタル悪化のリスクを低下させられる**ことが分かっています。

また、週に1時間というのはまとまった時間でやる必要はなく、**1日あたり10分などに分散させてもいい**と言われているんです。1時間はハードルが高い気がするけど、10分ならまだ何とかなる、って感じがしませんか？これなら7日あれば1時間を超えられますよね。

「運動が健康にいいとは分かってるんだけど、なかなか続かないんだよね・・・」って人は**なるべく運動のハードルを下**

げていくのがコツです。

いくら短時間でいいとはいっても、仕事終わりに疲れて帰ってきてからウォーキングに出かけるのは大変ですよね。1、2回はできても、毎日継続するのは至難の業です。

そんな場合は時間の調整がしやすい朝にウォーキングの時間を確保しておくと継続しやすいです。僕は毎朝起きてから20分くらいのウォーキングをしています。朝日を浴びることができ、気持ちをポジティブにするセロトニンが脳内に出るためとてもお勧めです。

また最初から「毎日必ずやる！」と意気込む必要もないと思っています。初めのうちは週に1回散歩すると決めて実行するだけでも十分です。そこから慣れてきたら週に2回、3回と自分のペースで増やしていきましょう。**最初からハードルを上げすぎないことが継続のカギ**です。

運動は0か100かみたいな考えではなく、ほんの少しでもできれば合格ぐらいの気持ちでいいのではないでしょうか。義務的に考えてやるのは誰でも大変なので、あなたがこれなら無理なくできるなとか、やっていて気持ちいいなと感じるペースでやってみてください。

Point

運動こそ「小さなことからコツコツと」で大丈夫。

Chapter 4-7

お金で損をしないようにしなきゃと思わなくていい

——なぜなら心理学的には、そのような考えが強いとかえって損をするから

お金は大切なものですし、誰だってお金で損をしたくないと思うものですよね。ですが、企業もいろんな心理効果を利用して、あなたの財布からお金を出してもらおうとしています。特に**「損をしないようにしなきゃ」と思うほど、実は損をしてしまうという罠(わな)にはまってしまったりもする**んです。

「プロスペクト理論」といって、**人は得をすることよりも損を回避することのほうに敏感になる傾向**があります。「○○すると1万円稼げますよ」よりも「○○しておかないと1万円損しますよ」という情報のほうが「これはチェックしておかないと！」という気持ちになりませんか？

世の中にある様々なサービスを提供している企業も、人間にこうした特性があることを理解していて、それを巧みに利用しています。もちろん、そのような企業の戦略が決して悪いものだとは思いません。ですが、サービスを利用する側の僕らが気をつけておかないと、思わぬところでかえって損をすることになってしまうんです。

たとえば、月額制の雑誌の購読やスマホの有料アプリで「最初の○カ月間は無料」というキャンペーンをやっていると、なんとなく「無料だし試してみるか」と契約しやすくなりま

す。ですが、消費者にこう思わせることが企業の戦略なんです。というのも、無料期間が終わってもそのまま契約し続けてしまいやすいからです。

これは**一度利用したサービスを手放すというのは、なんとなく損をするように感じるから**です。でも実際には、雑誌はほとんど積読（つんどく）になっていたり、スマホのアプリもあまり使っていなかったりするなんてことも多いです。

特に月額課金サービスを契約する時には、損するかどうかよりも**自分にとって本当に必要かどうかを慎重に考えて契約するかを決める**ようにしてみてください。

【損は忘れたほうが得をする】

Point

なんとなく「損したくないから」と思って契約したサービスを見直していくと経済的に豊かになりやすい。

Chapter 4-8 「他人に頼るのはよくないこと」だと思わなくたっていい

——なぜなら心理学的には、困った時に頼れる依存先がたくさんあったほうがメンタルには良いから

「何でも一人でできる人が立派な大人」というイメージがあります。だから何でも一人で背負い込もうとしてしまう人は多いです。けれども、どんなに優れた人でも他人に助けてもらいながら生きているもの。だから、**他人に頼ってはいけないと思わなくたっていい**んです。

あなたは「**自立とは依存先を増やすこと**」という言葉を知っていますか？これは小児科医の熊谷晋一郎先生が残した言葉です。

多くの人は、「人に依存しなくなるから自立した人間になるんじゃないの？」とか、「いつまでも他人に依存するって弱い人がやることじゃない？」と思っているでしょう。

ですが、熊谷先生は「一般的に自立の反対語は依存だと勘違いされていますが、人間は物であったり人であったり様々なものに依存しないと生きていけないんですよ」と言っています。

これは考えてみれば当然のことで、たとえばあなたが会社で事業の企画をする係を担当していたとしても、営業は営業の担当に依存していますし、経理は経理係に依存しています

よね。

どんな人でも一人で全てのことができるわけではないですし、それを目指す必要もありません。誰かに依存して助けてもらいながら生活するというのは当たり前だから、困った時は人に頼っていいんです。

さらにこの考え方で重要な点は、依存する時は**一人だけに依存しないほうがいい**という点です。たとえば、あなたが恋人だけに依存していたとしたら、万一恋人と別れてしまったら頼れる先がなくなります。そうなると「恋人に嫌われたらどうしよう・・・」と思い、いつも不安になってしまいますよね。**「他人に迷惑をかけちゃいけない、頼っちゃいけない」という罪悪感を和らげるには依存先を複数持つようにすれば解決できる**んです。

たとえば、仕事で困ったらいつもバリバリ仕事で成果を出しているこの人、人間関係で困ったらコミュ力抜群なこの人、恋愛で困ったら恋愛経験豊富なこの人、というようにたくさんの依存先を持っておくのがお勧めです。

そうやって依存先を分散させると依存するほうもされるほうも負担が軽くなるので、ぜひ多くの人を頼ってみてください。

Point

複数の人に依存すると「誰かに依存している」という感覚も薄れてくるので罪悪感がなくなりやすい。

Chapter 4-9

お金がなくたっていい

——なぜなら心理学的には、たくさんお金を持っている人よりも好きなことに時間を使える人のほうが幸福度は高いから

あなたは「お金があれば幸せになれる」と思いますか？たしかにお金があれば人生の選択肢が増えることで幸せになれるというのも事実でしょう。ですが、**お金だけにとらわれないほうが幸せを感じやすくなる**んです。

とある大学の教授だった40代男性のコガさんは、多くの優れた論文を世の中に出してきた著名な人でした。毎日日付が変わるまで研究室にこもり、土日出勤も当たり前で研究に没頭していました。

お金には不自由ない生活だった反面、ずっと家族とはすれ違いの生活が続き、奥さんから「もう少し家にいてほしい」と言われていました。ですが、コガさんは奥さんの訴えを聞かず、さらなるお金を求めて休みなく仕事を続けました。

その結果、ある日コガさんが仕事から帰ると奥さんと子どもが家におらず、リビングのテーブルには奥さんの名前が書かれた離婚届が置かれていたようです。コガさんはお金を追い求めすぎた結果、大切な家族を失って深く後悔することになってしまいました。

たとえ高収入であっても、コガさんのようにあまり幸せを感じられなくなる人は珍しくありません。逆に、そこまで収入は多くなくても毎日家族と美味しいご飯を食べて休日は好

きな場所に出かける、そんなことができる人はとても幸せそうに見えたりします。

とはいえ「そんなのは綺麗(きれい)事で、やっぱりお金は必要じゃないか？」と思う人もいるでしょう。ですが、カリフォルニア大学が「お金と時間どちらが大事だと思うか」や、「人生にどれだけ満足しているか」などの関連を調査したところ、**たくさんお金を持っている人よりも好きなことに時間を使える人のほうが幸福度は高い**と明らかになっているんです。

たとえ多くのお金を持っていても、使う機会がなければ幸せは感じにくくなります。だからお金に執着せず、楽しい時間を過ごせることを目指すほうが幸せになりやすいんです。

【お金よりも好きなことに没頭するほうが幸せになる】

Point

自分にとっての幸せは何なのか今一度考えてみよう。

Chapter 4-10

ついサボってしまうことに自己嫌悪しなくていい

——なぜなら心理学的には、人はサボりたがる生き物でやる気は自然に湧いてくるものではないから

「ちょっとおなかに肉がついてきたから、そろそろジムに行って痩せなきゃヤバい！」

そう思っていても、休日になってもジムに行かず、ついスマホを見ながらゴロゴロしてしまうもの。そんな自分に「ダメだって思ってても変われないんだよなぁ・・・」と自己嫌悪になっていませんか？

自分を責めるのはつらいですが、**人間は本来サボりたがりな生き物なので、頑張れない時があっても仕方ない**ことなんです。

「現状維持バイアス」といって、**人は本来変化が嫌いなのでつい新しいことをやるよりも今のままがいいと考えてしまう**ものなんです。

ダイエットしようと思っても「今年の夏は海に行って水着を着る予定もないしな・・・」とか「仕事で毎日疲れてるし、のんびり過ごしていたほうが明日からの仕事に集中できるよね」など、やらない理由を考えてしまう癖があるものなんです。

もちろん個人差はありますが、周りから「あの人はストイックだよね」と言われるようなすごい人だって、常にサボろうとする自分と闘っているものですし、他人には見せていないだけでつい怠けてしまうことだってあります。だから**あなただけがサボり癖のあるダメな人だと自己嫌悪に陥る必要はな**

いんです。

ですが、「このままでは何もできないダメ人間のままだ・・・」と焦っている人もいるでしょう。そんな人のために、行動をとるためのちょっとしたコツを解説しておきます。

○５秒ルール

これは何かを始めようとする時に「5・4・3・2・1・GO!」と数えてから始めるというテクニックです。人は何か始めようと思っても５秒たつと脳がやらない理由を考えてしまう傾向があります。なので、**脳に言い訳を考える時間を与えないように、５秒以内に行動に着手すればいい**というわけです。

たとえば、冬の寒い日に早起きしなきゃいけないのにいつまでもベッドから出られなかったりしますよね。それなら、ベッドの中で「5・4・3・2・1・GO!」と数えてからガバッと起き上がってみると、スムーズにベッドから出やすくなります。

残念ながら、やる気は自然には湧きづらいものです。一方で、動機づけの研究では**行動をすることによってやる気が出てきやすくなる**ということも分かっています。

痩せたいと思ってランニングをやろうとしても、1時間走ろうとしたらやる気が出にくいものです。ですが「5分だけでいいから走ってみよう」と思ってやってみると、「せっかくだからあと５分、10分」と続けられたりします。

Point

人は誰でもサボりたがり。あなただけがダメな人間なんてことはない。

嫌なことから逃げちゃいけないって思わなくたっていい

――なぜなら心理学的には、つらいことから逃げるのはメンタルを病まないために必要不可欠だから

小さな頃に親や学校の先生から「嫌なことから逃げると逃げ癖がつくぞ」と言われたことがある人も少なくないでしょう。この経験から「逃げる＝悪いもの」と思ってしまいますよね。でも逃げるってそんなに悪いことなんでしょうか？

「嫌だな」と思うのは、自分の心が「そこから離れたほうがいい」と訴えているサインかもしれません。そのサインを見て見ぬふりをすれば、いずれ自分の心や体を壊しかねません。**この世の中に自分の心と体以上に大事なものはないはずです。**

「一度逃げると、もう一生落ちこぼれになる」かのように言う人もいますが、人生は一度くらい逃げ出したところで終わるなんてことはありません。ブラック企業から逃げ出して、まともな会社に就職して幸せに働いている人は大勢います。

嫌なことから逃げるのは世の中から脱落する行為ではなく、自分を守るよりよい選択肢を取るための行動なんです。

とはいえ、「他の人たちは我慢しているのに、自分だけ耐えずに逃げ出すなんて甘えじゃないか？」と思う人もいるでしょう。ですが、そもそも同じことを経験しても、それをストレスと感じるのかは人によって違います。ホラー映画が嫌いな人にとってホラー映画を観ることはストレスに感じますが、ホラー映画好きな人にとっては何の苦でもありませんよね。

主観的なつらさは一つのモノサシで測れるものではありません。**誰が何と言おうと自分にとってつらいものはつらいという自己判断でいい**んです。

もちろん、逃げるよりも我慢をするほうがあなたにとってメリットが大きいなら頑張ればいいと思います。でも、あなたが今我慢している環境は本当にあなたのためになるのか、もう一度考えてみてください。

大してメリットはないけど、ただ逃げちゃいけないという思考にとらわれていたのだとすれば、早めに撤退しておくことをお勧めします。

【嫌ならば、逃げたっていい】

Point

一度きりの人生、嫌なことからは逃げて好きなことをやったもん勝ち。

Chapter 4-12

「捨てたら後悔するかも・・・」と使わない物を取っておかなくたっていい

——なぜなら心理学的には、捨てたほうがメリットが多いから

家の玄関にホコリをかぶったままずっと置いてある木彫りの熊、使い道はないけど高価だったから捨てられない・・・。
何年も着ていない服だけど、気に入っていたから捨てられずにクローゼットに入っている・・・。

「捨てたら後悔するかも・・・」と思ってずっと捨てられないものが溜まっていたりしませんか？けれども、何年も使っていないものはその後も使わないということが大半なので、**思い切って捨ててしまって大丈夫**です。

いらない物を取っておくというのは、いらない物のために家のスペースをあけて、家賃まで払っているということ。なんだかそう考えるともったいない気がしませんか？
捨ててしまえば広々とした空間が手に入り、今の自分にとって必要なものを買うためのスペースも出来上がります。

また、綺麗な部屋になれば気持ちが引き締まり、新しいことにも挑戦しやすくなります。人生を変えたいと思って資格取得のために勉強をしようと思っても、仕事から帰ってきて物がごちゃごちゃに散乱した部屋だったら、一気にやる気がうせてしまいます。でもスッキリした部屋であれば「よし頑張るか！」と思いやすいですよね。

いらない物に執着するのはいろんなデメリットがあります。だからずっと使わなかったものは捨ててしまったほうがいいんです。

とはいえ、「やっぱりいざ捨てたら後悔するのでは・・・と怖くなる」と感じるかもしれません。これは仕方ないことで、とある心理効果が影響してしまっているからです。

「保有効果」といって、**人は自分が所有しているものには価値があると思いやすい**傾向が働いているからです。さらに、Chapter4-7でも解説した**「プロスペクト理論」**で、**自分が損することには非常に敏感になってしまいます。**

これらの心理効果が原因で、**本来のそのものの価値以上に自分にとってそれが価値あるものだと思い込んでいるだけ、ということは珍しくありません。**

もしどうしても手放すかどうかを決断できないようなら「**いったんこれを捨てたとしてまた買い直すか？**」と自分に問いかけてみてください。

本当にあなたにとって価値のある必要なものであれば、迷わず買うという決断をするはずです。一方、**「もう一度買ってまでは欲しくないな・・・」と思うようであれば、それは必要とは言えない物と判断して捨てても大丈夫**です。

Point

人生は「何を持っておくか」と同じくらい「何を持たないか」も大事。

Chapter 4-13 「もう若くないから・・・」と年齢を悲観的に捉えなくたっていい

——なぜなら心理学的には、年齢を重ねたことによるポジティブな側面もたくさんあるから

「もう学生時代のようには動けないなぁ。30過ぎたし疲れやすいのも仕方ないな。かといって今さらジムに行くのも…」と年齢を理由にいろんなことを諦めてしまう人が多いです。けれども、人間は誰しも今この瞬間が人生で一番若いのです。**人は何歳になっても変わることができる**んです。

もちろん、年を取って若い頃のようにできなくなることがあるのも事実でしょう。無理をしてまで年齢に逆らおうとするのはつらくなる原因にもなるのでお勧めしません。

ですが、本当はやりたいことがあるのに年齢を気にしてやめてしまうのはもったいない。たとえ周りから「いい年して何やってんだよ（笑）」などと言われようと、そんなことはあなたに関係ありません。年齢を気にせずやりたいことをやっているほうが人生に充実感を持ちやすくなります。

とはいえ、「今さらと思うとなかなか行動しようと思えない」なんてことが気になるのではないでしょうか。そんな時は**年齢を重ねたことのメリット**に着目してみてください。

年齢を重ねるというのは悪いことばかりではありません。たとえば、ダイエットをして引き締まった体を手に入れたい

と思った時には、「学生時代より今のほうがお金はあるからジムに行けるし、パーソナルトレーニングも受けられるぞ」と**若い頃は難しかったけど今ならできることに注目すればいい**んです。

こういったマインドセット（思い込みや信念）を変えるだけで、行動に結びつきやすくなることがモチベーションに関する研究で分かっています。

何かやりたいことがあるなら今すぐ始めてみましょう。早ければ早いほど、楽しい人生の期間が長くなります。

【年を取ることはメリットばかり】

Point
今日が人生で一番若い日。年齢を理由に挑戦をやめる必要はない。

Chapter 4-14

「そんなの無理だよ(笑)」と新しい挑戦を笑う人の言葉は聞かなくていい

——なぜなら心理学的には、笑われるということはあなたの挑戦に価値があるということだから

新しい課題に挑戦しようとすると必ず「そんなの無理だよ、諦めたほうがいい（笑）」と言ってくる人がいるものです。頑張ろうと思っている矢先にそんなことを言われると、やる気をそがれたり嫌な気持ちになったりしますよね。

たしかに100％うまくいくなんて保証はありませんが、**絶対に成功しないと断言できるわけでもありません。**だから、**足を引っ張ろうとする人の言葉は無視していい**んです。

他人の挑戦をバカにして、たとえ挑戦者が成功しようと失敗しようとバカにした本人の人生にとっては何も関係ないはずです。では、他人の挑戦をバカにする人は、いったい何を考えていると思いますか？

「そんなの無理だよ（笑）」と言う人は、挑戦者がへこむところを見て喜んでいるだけなんです。これは心理学の**「酸っぱいぶどうの理論」**が関係しています。

「酸っぱいぶどう」はイソップ寓話(ぐうわ)の一つです。あるおなかをすかせたキツネが歩いていると、美味しそうなぶどうがなっている木を見つけました。ぶどうを食べようとして木に懸命にジャンプしますが、ぶどうはどれも高い所にあって届

きません。やがてキツネは怒りと悔しさから「どうせこんなぶどうは酸っぱくてマズいはずだ」と負け惜しみの言葉を吐き捨てるように去っていった、というものです。

ここから、**人は求めていたものが手に入らないと、自分の能力の低さを正当化するために、自分が求めていたものは価値のないものだと思い込んで自己弁護するようになる**と言われています。

他人の挑戦をバカにする人は大抵自分が大きな挑戦をしてこなかった人です。失敗して周りにバカにされることを避ける代わりに、大きな成功も得られず心のどこかで不満を抱えていたりします。だから、成功するかもしれない人に嫉妬しています。

「自分は挑戦をやめて正解だった」と思いたいために、挑戦者を批判して安心しようとしているだけです。

そんな人の自己満足のために、あなたのやりたいことを諦めてしまうのはもったいないです。**たとえ難しいと思うことでも、あなたが挑戦しようとすること自体が大切**なんです。

最初からうまくいかないとしても、継続して結果が出てくればあなたの挑戦を笑う人はきっといなくなるはずです。だから周りから批判されたとしても、挑戦を諦める必要はありません。

Point

周りに何を言われようと、挑戦することそのものに価値がある。

短所があったっていい

——なぜなら心理学的には、短所は裏返せばあなたの長所になるから

「自分の短所を改善しなきゃ」と悩んでいたりしませんか？そういう人は自分には長所なんてないと思いがちです。ですが、**どんな人にでも長所も短所もあるものなので、短所があろうと気にする必要はありません。**

短所はどうしても目につきやすいものです。みんなは当たり前にできていることなのに自分だけできないというものがあれば、自分も短所を改善しなきゃと思ってしまいますよね。

でも、短所があったってそれはあなたの個性です。短所の克服には限界がありますし、克服しようと頑張ってもだいたい苦しいわりに人並み以上にはなれずつまらないものです。

それよりも、あなたが得意とする長所を活かしていけば、あまり苦労せず結果を出すこともできて楽しいですよね。だから、**自分の長所を見つけて、それを活かせるような生き方を探していけばいい**んです。

とはいえ、「自分の長所なんて簡単に見つからない」って人もいるんじゃないでしょうか。実は、心理学の**「リフレーミング」**という手法を使うと簡単に見つかります。リフレーミングとは**物事をいろんな側面から見直してみる**という手法です。

たとえば、「優柔不断でなかなか決められない」という短所は「慎重に物事を考えてより良い決断ができる」と言い換えることができます。レストランのウェイターのようにその場でパッと決断が求められるような業務は苦手であっても、事務仕事のように落ち着いていろんな要素を検討して判断していくような仕事には向いているかもしれません。

長所と短所は大抵裏返しになっているものです。それに、長所というのは他人より優れた側面なので、本人にとっては当たり前にできてしまい、それが長所だとは気づきにくかったりします。だから、長所がないなんて悩まないでくださいね。

【自分の短所を見直してみよう】

Point

短所だって活かし方次第で長所になる。

Chapter 4-16

「安定した生活をしなきゃ」と思わなくたっていい

——なぜなら心理学的には、不安定さのある生活は楽しいから

大きな変化やリスクの少ない生活を送る、たしかに安心感がありますよね。でも、なんとなく仕事して、家に帰ってご飯を食べて寝て、また朝になったら仕事に行く、同じ毎日を繰り返している人も多いでしょう。「なんだか毎日つまらないなぁ・・・」と思う人もいるのではないでしょうか。

どんなにおもしろいゲームでも何度もやっていればいずれ飽きてしまいます。だから、**安定にこだわりすぎず、生活に変化を取り入れていくようにするほうが人生はおもしろくなってきます。**

とはいっても、いきなり仕事を変えるような大きな変化は難しいでしょう。なので、**変化は小さなことからで十分**です。

たとえば、仕事帰りに今まで行ったことのないバーに入ってみる、今まで気になっていたけど買っていなかった本を読んでみるのもいいと思います。行ったことのないバーで新しい知り合いに出会えれば、いろんな生き方をしている人から話が聞けるでしょう。新しい本を買ってみれば、今までの自分にはなかった斬新な考え方を発見できるかもしれません。

そうやって**小さな変化を続けていくうちに、だんだんと脳は変化への抵抗が小さくなっていきます。**そうすれば、どう

してもおもしろいと思えない仕事から転職するなど、大きな変化にも着手しやすくなります。

とはいえ、変化を取り入れるというのは大変だし、どうなるか分からないから心配になるのも無理ないと思います。人は変化を嫌う生き物で、**見通しが明らかになっていて変化しないものに安心する**傾向があるからです。ですが、それによって同じ繰り返しのつまらない人生になりがちです。

おもしろいゲームというのは**緊張と緩和**がバランスよく取り入れられていると言われています。

ロールプレイングゲームでは、最初は弱い敵を倒すのも苦労しますが（緊張）、だんだんとレベルが上がるにつれて敵を倒すことにも慣れてきます（緩和）。そのうち、弱い敵を倒すだけではつまらないと感じてきます。でも、物語を進めていくうちに強いボスに遭遇し、コテンパンにやられますよね（緊張）。次はどうやったらボスを倒せるかと考えて、苦労して倒すと達成感と安心が生まれます（緩和）。この繰り返しがあるから、ゲームはおもしろいと感じるんです。

人生もそれと同じようなもので、たとえ安定していてもあまりにも変化がなければ人間は慣れて退屈だと感じてしまうものなんです。人生がつまらないと感じる人は、ぜひ変化を取り入れて不安定さを楽しんでみてください。

Point

どうなるか分からないハラハラ感があるからこそ、人生はおもしろくなる。

Chapter 4-17

「こんなことやって後悔したらどうしよう・・・」と心配しなくたっていい

——なぜなら心理学的には、やらずに後悔するよりやって後悔するほうが心のダメージは少ないから

新しいことにチャレンジしたくても「失敗したらどうしよう・・・」と躊躇(ちゅうちょ)してしまうことがあります。僕は**やろうかどうか迷っているのであれば、あまり心配せずにやってしまったほうがいい**と考えています。たとえ**後悔したとしても、自分でやると決めてやったことであれば長く引きずることはない**からです。

新しいチャレンジをしようとすると、30代、40代となってくるにつれて「もういい年なのにこんなことしてて恥ずかしいと思われるんじゃないか・・・」みたいに思ったりします。周りからの評価が気になるとつい足が止まってしまうものですよね。

ですが、人生は何歳であろうと挑戦したっていい。たとえ**周りが何と言おうとそれは関係ない**ことです。**チャレンジはあなたが満足できればそれで正解**です。

とはいえ、「失敗するのはやっぱり怖いし、やらないほうがいいんじゃないか？」って思ってしまいますよね。「やらずに後悔よりやって後悔」とはよく言われていますが、実は心理学的にこの言葉は妥当なものだという説があるんです。

アメリカの心理学者であるトーマス・ギロビッチらの研究によると、**行動しなかった結果で生まれた後悔は長期にわ**

たってしまうのに対し、行動した結果生まれた後悔は短期間で済むことが明らかになっています。

やらなかったことを後悔すると、どうしても「あの時やっておけば、今がもっといい状況になってたかも・・・」という後ろ向きな考えが生まれてしまいやすいんです。また、たとえ失敗したとしても行動すればたくさんの学びを得られますが、行動しなければ何も変わりません。

人生の心配の大半は実際に起こらないし、たとえ起こったとしてもほとんどのことは取り返しがつきます。たとえ後悔するとしても行動したほうがダメージは少なくて済むんだから、やりたいことは今すぐやったほうが得だと思いませんか？

【果敢にチャレンジしよう】

Point

「やらずに後悔よりやって後悔」にはちゃんと根拠がある。だから人目を気にせずやりたいことをやるのが正解。

Chapter 4-18

他人から褒められたら謙遜しなくたっていい

——なぜなら心理学的には、褒められたことを素直に喜んだほうが相手もハッピーになるから

他人から褒められることが苦手だと、褒められても「そんなことないです〜」と言ってしまいますよね。おそらく「褒められて天狗（てんぐ）になるよりも謙遜しておいたほうが相手から悪い評価をされないんじゃないか」って考えているのではないでしょうか。

ですが、**褒められた時は素直に受け取ったほうが相手からの印象はよくなる**ものなんです。

これは自分が相手を褒めてみた時に分かると思います。たとえば、あなたが相手にご飯を作ってもらい、それを食べたらすごく美味しかったとしましょう。そして「ごちそうさま、美味しかったよ！こんなの作れるなんてすごいね！」って言ったのに、相手から「いやいや、そんなことないよ。私なんて・・・」と言われたらどう思いますか？多分「本当に美味しかったし、すごいと思ったんだけどなぁ・・・」とちょっぴりモヤモヤした気持ちになるはずです。

これがなぜかというと、謙遜しすぎるのは褒めた人の評価や気持ちを否定してしまうことになるからです。自分にそのつもりはなくても、暗に「あなたには見る目がないんですよ」というメッセージを与えてしまっているんです。

とはいえ、「褒めてもらった時にどう反応していいか分からない」なんて人もいますよね。そんな時は**素直に「嬉しいです！ありがとうございます！」と感謝の気持ちを伝えればいい**んです。あなたが嬉しいと感じたことは誰にも否定できない事実です。

僕はYouTubeでも「他人の評価を気にしなくていい」と言っていますが、それは「あらゆる評価を完全に無視しろ」みたいな「0か100か」という話じゃないんです。

自分に対して批判的で傷つくような評価なら全てストレートに受け取る必要はありません。一方、**自分にとって嬉しい評価ならありがたく聞く、なんて都合のいい受け取り方もあり**だと思います。

ちなみに、相手のことを褒めているのに、褒め言葉に喜んだ相手を見て「いや、そこは謙遜しろよ」みたいに言ってくる人がいます。こういう人はそもそも、自分の素直な気持ちから相手を褒めているわけではなく、ただのリップサービスで言っているだけです。

もしリップサービスなら最後まで相手が傷つかないように配慮すべきです。そういうことができていない人の言葉を真に受けなくても大丈夫です。

Point

あなたはもっと自信を持って他人の良い評価を受け取っていい。

Chapter 4-19 「休日はダラダラしちゃいけない」と思わなくたっていい

——なぜなら心理学的には、自分で計画的にダラダラすると決めれば満足度が高くなるから

休日にベッドでスマホをいじりながらダラダラ過ごして、気がついたらあっという間に日曜日の夜・・・。こんな時「また休みを無駄にしちゃった・・・」とがっかりしてしまったりするものです。

でも、**ダラダラすること自体が悪いわけではないので気にする必要はありません。**

普段たくさん体を動かすような仕事をしている人は別として、デスクワークが中心の人にとってはウォーキングなどで適度に体を動かすほうが休養には望ましいと言われています。

たとえ激しい運動をしなくても、外を散歩するだけで本当に気分がよくなるものです。

とはいっても、毎日忙しく仕事をして疲れていると、金曜日の夜は夜更かしして次の日はお昼まで寝て、ダラダラお菓子を食べたり、スマホでYouTubeを観たりしたくなりますよね。

普段頑張っているんだから、たまには自分を甘やかす日が

あったっていいと思います。それでも日曜日の夜になって後悔してしまう人は、休日の計画の立て方を工夫してみましょう。

コツは**「今週末は、思いっきりダラダラする」とあらかじめ計画して、その通りに実行する**ことです。

アイダホ大学の幸福感を上げる休日の過ごし方に関する研究によると、**あらかじめ計画を立てて休日を過ごすことができると「自分で自分の人生をコントロールできている」という感覚が持てて、満足度が高くなる**と明らかになっているんです。

何もやる気が起きず結果的にダラダラしてしまうよりも「自分でダラダラするって決めたんだから」と思えるほうが、罪悪感を持ちにくくなります。ぜひ試してみてください。

Point

「今日は思いっきりダラダラしよう！」と計画して実行してみよう。リフレッシュできて、月曜日からまた頑張れるようになる。

Chapter 4-20

目標を宣言することにプレッシャーを感じなくたっていい

——なぜなら心理学的には、宣言することによって達成する可能性が高くなるから

世の中の成功者は「自分の逃げ道をなくすために目標は周りの人に言うべきだ」と言ったりします。とはいうものの、ひそかに目標にしてることがあるけど、宣言したら達成できなかった時にカッコ悪い・・・そう思うとなかなか他の人には言えなかったりしますよね。でも、**目標宣言はプレッシャーを感じずにしちゃって大丈夫**なんです。

目標を宣言するとはいっても、「後戻りのできない状況にして背水の陣で臨む」のようなハードな精神論で乗り越える、みたいな話ではありません。

ちゃんと心理学的にも目標を宣言する言葉が自分の成功を後押ししてくれると明らかになっているんです。

自分が成し遂げようと決意したことを周囲に宣言することは、**「パブリックコミットメント」**と呼ばれる目標達成のアプローチ方法です。宣言することによって、**目標達成にこだわるようになって、そのために努力するようになり、実際に達成率が高くなる**と言われているんです。

さらに、オハイオ州立大学の研究によって、目標宣言には「あるコツ」があると明らかになっています。

学生を対象に、その目標を「尊敬できる人に宣言したグルー

プ」と「どうでもいい人に宣言したグループ」に分けて、目標達成率を調査しました。その結果、尊敬できる人に宣言したグループは目標達成率が上がったのに対し、どうでもいい人に宣言したグループはあまり変化が見られませんでした。

つまり**「自分が尊敬している人たちからの信用を失いたくない」という動機があったほうが、パブリックコミットメントは効果を発揮しやすい**んです。

また、心理学者のウィリアム・ジェームズは「情熱は内に秘めたままでいるとやがて枯れてなくなってしまう」という言葉を残しています。

目標に向けて努力していることを意識するのはとても重要です。というのも、「自分は将来の目標のために努力を続けている」という意識が持てないとやる気を維持することが難しいからです。**目標達成のためには、自分自身を励ますことも大事**だということですね。

なので、あなたの周りにいる尊敬できる人に今はこんな目標を持って頑張っているという話をしてみるといいかもしれません。ぜひこの本を閉じたら目標を考えて、それを尊敬できる人に直接伝えてみてください。

Point

たとえ目標は達成できなかったとしてもいい。あなたが周りに目標を宣言して努力する姿そのものがなによりかっこいいのだから。

「ニュースで情報を得ておかないと」と思わなくたっていい

――なぜなら心理学的には、自分の力で変えられることに関心を向けるほうが幸せになれるから

「社会人はニュースを毎日見るもの」という思い込みから毎日何時間もニュースを見て過ごしていませんか。大人になってみんなが知っているニュースを知らないって、なんとなく恥ずかしい気がしますよね。

でもニュースってネガティブな内容も多いので、見ていて気がめいってしまうこともあります。**そういう人は思い切ってニュースを見ることをやめてみると気持ちがスッキリします。**

芸能人が不倫をした、政治家が不祥事を起こした、海外で事件が起きたみたいなネガティブなニュースって、見ていて気分が悪くなりますよね。**ネガティブなニュースを見ると、心理的に悪影響を受けることは様々な心理学の研究でも明らかになっています。**

知ったところで自分が何かを変えられるものではないことがほとんどなので、無理にニュースって見なくていいんです。僕はいつもニュースを見て気分が悪くなる人には**テレビのニュースをなるべく控えて、ネットニュースで見たいものだけ見る**ことをお勧めしています。

ニュースを見ておかないと大事な情報を見逃してしまうという不安もあるかもしれません。ですが、本当に大事な情報は家族や会社の同僚との会話から自然と耳に入ってくるものなのであまり心配しなくても大丈夫です。

もし1日1時間ニュースを見ているとしたら、年間365時間使っていることになります。これは会社員の労働時間の2カ月分以上にもなるんです。

この時間を使って本を読んで勉強すれば、あなたはもっと条件の良い会社に転職できるかもしれません。ジムに行って運動すれば健康的な体になって、より長い期間人生を楽しめるようになるでしょう。

ニュースを見ることにこだわりすぎず、ぜひ他のことにも時間を使ってみてください。

【ネガティブなニュースからは距離を置こう】

Point

見たいニュースだけ見るようにする。浮いた時間で他のことをすれば人生はもっと充実する。

Chapter 4-22 やる気が出ない自分をダメだと思わなくたっていい

――なぜなら心理学的には、ハードルを下げることでやる気はいくらでも湧いてくるから

将来に役立てるために資格を取ろうと意気込んだのはいいけれど、いざ勉強しようとしてもどうしてもテキストを開く気にならない・・・。そんなふうにやる気が出ない自分をダメだと責めたことはありませんか。だけど、人は本来サボることが好きなものだから仕方ないんです。

自分の意思だけで行動をコントロールできる人なんてほんの一握りしかいません。だから、**サボってしまうことがあってもそれはあなただけじゃないから気にしなくていい**んです。

自分の意思だけで何でもかんでもコントロールできるなら、みんな大成功して億万長者になっています。でもほとんどの人がそんなことはないですよね。

やらなきゃいけないと分かっていても、どうしても手につかないのは人間に感情があるからです。「やりたくないものはやりたくない！」と思うのが当たり前です。だから、**その感情を無視せず、まずは「やる気が出なくても仕方ないよね」くらいに思っておいてください。**

とはいえ、「やらなきゃダメだと思っているのにどうしてもできなくて自己嫌悪に陥ってしまう」っていう人もいると思います。残念ながら、やる気はどうしても自然には湧いてこ

ないものです。なので、そんな人は「3分だけやる」みたいに「これなら絶対にできる」ってところまでハードルを下げてやってみるといいです。

「作業興奮」といって、**人は行動に着手するとモチベーションや集中力が上がってくる**傾向があるんです。取りあえず手を動かして、作業をしていると脳にドーパミンが分泌されてきて自然とやる気が湧いてくるからなんです。とにかくハードルを下げて最初の一歩さえ越えてしまえば、3分、5分、15分、30分と自然と長くできてしまったりするものです。

モチベーションが続かない人にありがちなのは、最初の目標のハードルがあまりにも高すぎることです。高い目標を持つのはいいことですが、現状の自分とはあまりにもかけ離れすぎている目標にすると、かえって道のりが遠すぎてやる気がそがれやすいです。

なので、**目標はスモールステップにして「ちょっと頑張れば達成できるかな」くらいのところから始めてみてください。**たとえ小さな目標でも、それが達成できればどんどん自信が積み上がっていきます。

その自信のおかげでさらなるチャレンジができるようになり、成功すればまた自信がつく、というポジティブなループが出来上がります。

Point

始められないでいるなら、目標を大きな壁を登るものではなく、小さな階段を駆け上がっていくものとイメージしよう。

Chapter 4-23

休むことに罪悪感を持たなくていい

——なぜなら心理学的には、休むほうがかえって良いパフォーマンスを出せるから

「他の人も頑張ってるんだから休んでいられない」
「休日に何もしていないと一日を無駄にしたように感じる」

こうやって休養を取ることに罪悪感を持ったりしていませんか。疲れたら休むって当たり前なことなのに、意外とできていない人が多いんですよね。

休み明けから頑張るためにも休日は何も気にせず自分をいたわってあげてください。

勉強、家事、仕事、多くのことに共通しますが、日本にいると「休まないことが美徳」のように思わされますよね。

どれだけ残業したか、どれだけ休日を返上して仕事したかってことを武勇伝のように語る人もいます。

でも当たり前なのにできていない人がいるから改めて言いますが、**休まずに動き続けられる人なんていません。**

特に現代人はデスクワークが多いため、体は疲れていなくても脳が疲労していることになかなか気づかないなんてこともあります。その結果、無理をしてしまいがちです。

とはいえ、「休んでいるとサボっているような気がして気持ちが落ち着かない・・・」なんて人もいたりします。そんな人は、**結果を出す人ほど休息を大事にしている**ことを知っておいてください。

Apple や Google といった世界の大企業でも、マインドフルネス瞑想を休息として取り入れるなど、生産性を上げるための休憩を重視しています。

そんな世界の超エリートですら結果を出すために休息をしているんだから、デスクにガシガシかじりついていることが必ずしもよいわけではないと思いませんか？

より良い成果を出したいなら「休んで何が悪い！動き続けるために休むのは当たり前なんだ！」くらいに思って十分に休息を取ってください。

Point

よく寝て、よく食べて、よく遊ぶ、頑張るためには休息も大事だと知っておこう。

Chapter 4-24

「どうせ自分は頭が悪いから」と悲観的にならなくたっていい

——なぜなら心理学的には、考え方次第で能力はいくらでも変わるから

「子どもの頃から勉強が苦手だったし、どうせ頑張ったところで大して変わらない・・・」

そんなふうに最初から諦めて努力をしない人がいます。たしかに、努力さえすれば全て実を結ぶとは限りません。これまで頑張ってきてもうまくいかなかったのであれば、ネガティブになるのも無理はないと思います。

ですが、**人は考え方が変われば能力は後からでも伸ばせます。**だから、諦めないでください。

「俺なんてどうせ何やってもダメだから」「私はFラン大卒だから」と自分の可能性を狭めてしまうのはもったいないことです。学校の成績というのは、あくまでも人の能力を測るモノサシの一つにすぎません。

テストでいい点を取るだけなら、テクニックでカバーできる部分はいくらでもあります。だから、成績の良い人は能力が高く、成績が悪いから能力も低いとは言い切れないのです。

僕の知り合いの30代女性のクドウさんは学生時代は赤点ばかりの劣等生でした。ですが、必死に努力したおかげで20代にしてエステサロンの社長になり、美容関係のセミナー講

師としても活躍し、SNSには5万人以上のフォロワーがいます。**行動さえすればほんの少しずつでも人は変わっていく**ことを彼女は体現してくれています。

とはいえ、どうしても「うまくいったことなんてないし、今さら努力したところで何も変わらないんじゃないか？」って思ったりしますよね。

スタンフォード大学のキャロル・ドゥエックという心理学者は、人の能力の発揮には**「固定思考」**と**「成長思考」**が関係していると提唱しています。固定思考とは**才能や知能は一生変わらない**という考え方で、反対に成長思考では**才能や知能はいくらでも変えられる**と考えることです。

そして過去の研究によって**「自分はいくらでも成長できる」という成長思考を持つことによって、実際に能力が向上して成功につながっていく**ということが明らかになっています。

どれだけ優れた業績を積み重ねた人だとしても、最初から大きな成功体験を持っている人はいません。だから、たとえこれまで失敗ばかりだったとしても「自分はこれからでも成長できるんだ！」という考えを持つところから始めてみるとよいと思います。

Point

過去がどうであろうと関係ない。人の可能性は無限大だから未来はいくらでも変えられる。

Chapter 4-25 たとえ自分の考えがブレていても気にしなくていい

――なぜなら心理学的には、時に矛盾した感情を持つのは自然なことだから

「痩せなきゃと思っているけどケーキを食べるのがやめられない」
「資格試験に合格したいけど勉強するのがめんどくさい」

やらなきゃいけないことがあるのにできない、そんなブレた自分のことを「ダメ人間」みたいに思った経験がある人もいると思います。

たしかに、筋の通ったブレない人はかっこよく見えますよね。ですが、**人間は常に矛盾を抱えた生き物で、ブレることがあってもそれが普通**なんです。

どんなにすごい人だって、常に100％言動に矛盾のない人なんていません。自分の意志で常に行動を完璧にコントロールできるほど人間の心は鋼のように強固なものではないんです。

こんなことを言うと、Chapter2-3での一貫性のある人のほうがよいという話と矛盾するように思うかもしれません。ですが、人間は論理だけではなく感情を持った生き物です。

ダイエット中にケーキを食べてしまうことだって、資格を

取りたくても勉強ができないことだって、人間がロボットではなく感情によって行動が左右されるから仕方ないんです。

実際、心理学では**「アンビバレンス」**と呼ばれ、**人が相反する心情を持つことは珍しくない**と考えられているんです。

自分の中で相反するような考えが浮かんだとしてもそれは間違いではありません。

普段は自分に厳しくしている人でも、たまには自分を緩めてあげることも必要です。

その時の自分の感情を大切にして、柔軟にスタンスを変えていくことも幸せな生き方には大事なことです。

目標に向かって突き進んでいくことは大事ですが、だからといってそうできない自分を責めないであげてください。

Point

時と場合によって、都合のいい考え方を使い分けることも大事。

Chapter

5

家族・恋愛

Chapter 5-1

結婚しなくたっていい

——なぜなら心理学的には、パートナーがいなくても幸せになれるから

現代は一人で生きていく人が増えているとはいえ、まだまだ世間的には「結婚しないと幸せになれない」と考えている人は多いです。ですが、**結婚は人生のゴールではありませんし、結婚しなくても幸せにはなれるんです。**

もちろん、結婚したいと素直に思える相手がいるのであれば、結婚したほうがいいと思います。子どもを産みたい女性にとって、年齢のタイムリミットを意識すると焦りが出てしまうのも仕方ないことです。ですが、ここで気をつけていただきたいのは、**結婚すること自体が目的になっていないかどうか**です。

僕が以前お会いした30代女性のニシムラさんは20代の頃から「早く結婚して子どもを産みたい」という願望の強い人でした。20代半ばから本格的に婚活を始め、約1年後には婚活パーティーで知り合った男性と結婚しました。

ところが、旦那さんは結婚するやいなやニシムラさんが友人と食事に出かけることを拒むなどの束縛をするようになりました。仕事の付き合いで男性と会わなければいけない時も、旦那さんはニシムラさんを怒鳴り、次第に夫婦関係にも亀裂が入り始めました。そして、結婚後1年もたたず離婚することになってしまいました。ですが、ニシムラさんは「独身に

戻った今のほうが自由で幸せ」だと言っています。

ニシムラさんは長い間誰にも相談できず、つらい思いをしていました。このニシムラさんの例は少々極端に感じるかもしれませんが、結婚したからといってパートナーがあまりにも夫婦以外の人間関係を制限するようならば注意が必要です。

Chapter4-8でも解説したように、**人間関係の依存先はたくさんあったほうがいい**んです。そうでないと、パートナーとの関係性が悪くなった時に頼れる人がいなくなってしまいます。そうなると、常にパートナーの顔色を気にして、自分の言いたいことも言えなくなる可能性があります。そういった不自由な夫婦生活はつらいことも多いでしょう。

2015年に行われたアメリカの国民統計を用いた調査があります。この調査では、独身者と既婚者の人間関係の質を比較検討しています。その結果、独身者のほうが肉親や友人、同僚など自分の近しい人と頻繁にコミュニケーションを取り、お互いに助け合える可能性も高いということが分かっています。

なので、結婚前に**このパートナーは夫婦以外の人間関係も尊重してくれるか**を慎重に見極めてください。結婚できるかどうかよりも、あなたが自由に生きられるかどうかのほうが、幸福度が高まる可能性は高いです。

Point

束縛の多い結婚生活よりも、自由に生きられる独身生活のほうが幸せを感じやすいこともある。

Chapter 5-2

すぐ謝らなくたっていい

——なぜなら心理学的には、謝るより感謝するほうが幸せな関係になれるから

自分が悪いことをしたわけではないにもかかわらず、すぐ「すいません、すいません」とペコペコ謝っていませんか。低姿勢でいること自体が悪いわけではありませんが、これは相手からなめられる原因になってしまいます。**あなた自身を大事にするためにも、すぐに謝る口癖はなくしたほうがいい**んです。

もちろん、明らかにあなたに非がある場合は素直に謝罪すべきだと思います。自分の非を認めることなく、自分を正当化していたら人間関係を悪化させてしまいます。

ですが、たとえばパートナーから親切にしてもらっただけなのに、条件反射で「ごめんなさい」と言うのが口癖になっている人は、だんだんと相手から尊敬されなくなってしまいます。

あなたも自分に対していつも「ごめんなさい」とペコペコと謝っている人がいたら、どうしても心のどこかで下に見てしまうのではないでしょうか。

また、「ごめんなさい」と言われると、相手からすると親切心でやったことなのに「余計なことをしてしまったのかな・・・」と誤解させてしまう可能性もあります。だから、非がないのに謝るってあなたにも相手にも損なことが多いんです。それってもったいないですよね。

もしも相手から親切にされたら、**迷惑をかけてしまってすみませんと言うよりも、「ありがとう」と感謝を伝えてみましょう。**相手がわざわざあなたのために時間や労力を使って親切にしてくれたんだから、**素直にありがとうと伝えるほうがお互い嬉しい気持ちになれますよね。**

「自分なんかのためにすいません」とわざわざ自分の価値を下げるような言い方をする必要はありません。相手はあなたに親切にしたいからしてくれた、それって**あなたには親切にされるだけの価値がある**ってことなんです。もっと自分に自信を持って、心からの感謝を伝えましょう。

【謝るよりも感謝を伝えよう】

Point

下手に出すぎるのもデメリットになる。親切にしてもらったことには感謝を伝えて、お互い win-win な関係を作ろう。

Chapter 5-3 嫌な家族と一緒にいなくたっていい

——なぜなら心理学的には、離れたほうが相手は優しくなるから

「たとえ嫌でも家族だから一緒にいなきゃいけない」

そう思って家族と我慢しながら毎日を過ごしている人は少なくありません。でも、**家族といえど一緒にいなければいけないなんてルールはない**んです。**あなたが成人しているのであれば、どこで誰と住むかは全てあなたに自由に決める権利があります。**

僕はこれまでYouTubeで、あなたの人格を否定してくる人や、いつも感情的にキレる人とはすぐに距離を取って関わらないほうがよいと言ってきました。

時々こうした発信をすると「自分の親がこうなんですけど、これが家族だったらどうしたらいいんですか？」という質問をもらいます。この質問にはおそらく「すぐに離れたいけど、親とは一緒にいるものだからどうしようもない」という考えが背景にあるのだと思います。

たとえ親であろうと、あなたにつらい思いをさせてくる人と一緒に暮らす必要はありません。基本的に他人は自分の思い通りには変わりません。「今はつらくてもいつか親も分かってくれて優しくなるはず」と思っていたところで、親が自分の期待通りに変わることはまずないでしょう。親には親の考

え方や価値観があり、それはこれまで何十年もの人生を通して作られた強固なものだからです。

成人になれば、親子であっても独立した大人同士の関係です。もし、**お互いの利害関係が一致しないなら「一緒にいないほうがお互いのため」と考えて離れたっていい**んです。

とはいえ、「一緒にいないと親を見捨ててしまうようで悪い気がする」と罪悪感を持つ人もいると思います。それなら関わりを完全に絶つのではなく、**あなたにとって無理のない範囲でコミュニケーションを取るようにしてみる**といいでしょう。

「ヤマアラシのジレンマ」といって、**人は距離が近くなりすぎると逆に関係がうまくいかなくなる**という傾向があります。2匹のヤマアラシが寂しいからといって距離を近づけすぎると、お互いの針が刺さって痛い思いをしますよね。物理的に離れることで、心理的にも程よい距離感が生まれると、お互いに余裕ができて良い関係になれるんです。

同居していた時にはケンカばかりだった家族が、別居をしてみたところお互いストレスなく関われるようになったというケースはよくあります。だから、家族は一緒にいなきゃいけないという常識にこだわる必要はありません。

Point

親との距離が近すぎて衝突するくらいなら、いっそ別々に暮らしたほうがお互いのためになる。

Chapter 5-4 「親のアドバイスは聞かなきゃ」と思わなくたっていい

——なぜなら心理学的には、そのアドバイスは本当はあなたのためじゃないことが多いから

「今までずっと親のアドバイス通りに生きてきた」という人はいませんか？「いい大学に入って銀行に就職したほうがいい」と親に言われた通りに努力した、「早く結婚して子どもを産んだほうがいい」と言われ必死に婚活をしている、そうやって親のアドバイスに応えようと頑張ってきた人もいるのではないでしょうか。

もちろん、あなたが心からそうしたいのであれば問題ありません。でも、親のアドバイスと自分の本当にやりたいことが食い違うと、モヤモヤすることもあると思います。**そんな時は親のアドバイスに全て従う必要はない**んです。

少し寂しい話だと思われるかもしれませんが、実は親のアドバイスって100%子どものために言っているとは限らないんです。親だって人間なので、世間体を気にして「自分の子どもは恥ずかしくない人生を歩んでいる」と周りに思われたいがためにアドバイスしているってこともあるんです。

親から「結婚式はやったほうがいい」と言われても、あなたやパートナーが乗り気じゃないならやる必要はないと思います。今の時代は結婚式や結納などの形式にこだわらないカップルが増えています。

「結婚式は自分たちではなく周りの人たちのためにやるもの」と言う親もいます。ですが、それなりのお金も必要ですし、準備には長い時間がかかります。それだけの対価を払って、主役である自分たちが心から満足できないことをムリヤリやることに本当に意味があるのでしょうか。

親が本当にあなたのためを思っているのであれば、親がいいと思う人生を押し付けるのではなく、**あなたがどんな人生を歩みたいのかを尊重してくれるはず**です。

そうではなく、**親の価値観だけから出てきたアドバイスなら、あくまで参考程度に聞いておくだけで大丈夫**なんです。

【親だって万能ではないのだから、絶対視しなくていい】

Point
親は親、自分は自分と考えて、自分がやりたいと思ったように生きていけばいい。

Chapter 5-5

介護は7割の力でやったっていい

――なぜなら心理学的には、あなたが平穏なほうが親も平穏になれるから

親が高齢になってくるとだんだんと介護のことを考える機会も増えると思います。「自分も親に育ててもらったから、恩返ししないと！」と考えて、懸命に介護をする人もいます。

親孝行をしようとするのはとても素晴らしい心がけだと思います。一方、介護はあなたの心にも体にも非常に大きな負担がかかるものです。だから、常に100%の力を出そうとするのではなく、**「70%くらいでやっていけばいいや」と余裕を持った考え方でもいいかもしれません。**

僕は「介護は基本的にプロに任せるべき仕事」だと考えています。非常に体力が必要ということもありますが、なにより介護する側の心理的な負担が大きいからです。

介護は毎日必要なものです。そして、大抵はだんだんと親の介護度が上がっていき、子どもの負担も増えていきます。このような状況は親が亡くなる日まで続きます。

そうなると、親を大事にしたいと思う反面、心のどこかで「早くこの苦しい状況から解放されたい・・・」と考えてしまうのも無理のないことです。それはあなたが冷たい人なのではなく、とても心身に負担のかかる異常な状況で感じる正常な反応なんです。

また、介護は親側にも心の負担をかけやすいです。たとえ親子といえど、世話をされる親は「子どもにこんなことをさせて申し訳ない・・・」という罪悪感を持つものです。だから、**親の介護は専門機関に力を借りるなど、無理のない範囲でやっていけばいい**んです。

とはいえ「他人の力を借りて介護するのは手を抜いているようで親に申し訳ない気がするし、一生懸命頑張っている姿を見せたほうがよいのでは？」と気になる人もいるでしょう。ですが、**親が罪悪感を持たないためには、介護する側のあなたが心の余裕を持っていたほうがいい**んです。

「情動感染」といって、**他人の感情は自分にも伝染してしまう**と考えられているんです。これは脳の神経細胞の一つであるミラーニューロンによるもので、自分が苦しい思いをしてネガティブな表情をしていると、一緒にいる相手の脳がその感情を知覚して、相手にもネガティブな感情が移ってしまうんです。

自分の気持ちに蓋をして無理していると、やがてあなたの心を壊してしまいかねません。そうなる前に、一人で頑張らず周りの人の手を借りるようにしてください。

Point

親孝行はあなたのできる範囲でいい。介護はプロの仕事だと割り切って、心に余裕を持った生活を送ろう。

Chapter 5-6

恋人や配偶者に変わってもらおうと思わなくたっていい

——なぜなら心理学的には、パートナーが変わることを期待しないほうが楽だから

どんなに大好きな恋人や配偶者であっても気に入らないところの一つや二つはあるのが普通です。自分の理想の人になってもらいたくて、相手に変わってほしいと思うこともあるかもしれません。

ですが、無理に相手を変えようと思うとせっかくの良い関係がギクシャクしてしまいかねません。なので、**相手が変わることを期待しないほうがあなたの気持ちも楽になります。**

一方で、いつも他人の悪口ばかり言っている、お店に行った時の店員へのマナーが悪いなど、一般的にあまり望ましくないような行動をとっているなら、それをやめてほしいと思うのは自然なことです。恋人や夫婦のような近しい関係だからこそ、言いたいことも素直に言えずに我慢し続けていると、後で大きなストレスになります。

なので、そういう時は「こういうところを直してもらえると嬉しいな」と伝えてみましょう。たとえ相手の行動が望ましいものでなかったとしても、**相手を批判せずに自分の気持ちを伝えたほうが、相手にネガティブな感情を持たせずに済みます。**

それでも**変わるかどうかは相手次第**なので、**大きな期待はせずにいたほうがよい**と思います。

とはいえ、近しい関係だとどうしても相手に変わってほしいと思ってしまうところもあるかもしれません。ですが、人の行動が変わるためには、①自分にとってその行動を変えることが重要であると思う ②「自分ならこの行動を変えられる」というある程度の自信を持つ、という条件をそろえる必要があります。この条件を他人が整えるってすごく難しいですよね。

もし相手の行動にどうしても我慢ができないようなら、二人の今後について再検討してみてもよいかもしれません。ぜひパートナーとじっくり話し合ってみてください。

【相手を変えようとするのはやめよう】

Point

パートナーを「替える」ことはできても、パートナーを「変える」ことはできない。

Chapter 5-7

相手の希望を優先して「何でもいいよ」と言わなくたっていい

——なぜなら心理学的には、「何でもいいよ」が多い人は居心地が悪いと思われやすいから

デートでご飯を食べに行く時に「何か食べたいものある？」と質問されて「何でもいいよ」「あなたの好きなものでいいよ」と答えている人はいませんか？優しい人ほど、相手の都合に合わせるためにそのように答えますよね。

ですが、実はこれって相手からするとちょっとした負担を感じるものなので、**むしろ自分の希望を言ったほうがいい**と考えられているんです。

なぜなら、何でもいいと言われると相手は「自分が全てを決めなきゃいけない」というプレッシャーを感じるからです。

ケンブリッジ大学で意思決定に関する研究をしているバーバラ・サハキアン教授によると、**人は一日に3万5000回もの決断をしている**とのことです。さらに、脳にとって決断はある程度のエネルギーが必要になります。決断をすればするほど脳は「決断疲れ」を起こしてくるので、**一日のうちに良質な決断ができる回数には限界がある**というわけです。

「何か食べたいものある？」という質問に「何でもいいよ」と答えるのは、相手に「ここからどれくらいの距離の店に行くか？」「和食か？中華料理か？イタリアンか？」「どれくらいの価格がいいか？」など全ての決断を任せてしまっている

ということです。

もちろん、「全て自分で決めたい！」という相手なら、決断を任せてもいいでしょう。でも、そうでない相手の場合は「何でもいいよ」と言われると、いつも決断疲れを起こすことになります。そうなると、「この人と一緒にいると疲れるし居心地が悪いな・・・」と思われてしまう可能性があるんです。だからむしろ、**「自分はこれが食べたい」と素直に話してもいい**んです。

とはいえ、「自分の希望ばかり言うのはわがままなんじゃないか？」と思う人もいるかもしれません。そんな時は、**複数の選択肢を提示してその中から相手に選んでもらう**という方法をとるといいと思います。

たとえば「何か食べたいものある？」と言われたら「イタリアンかお寿司がいいけどどうかな？」と選択肢を出してみるんです。こうすると相手は二択から選べばいいので、決断する負担が少なくなりますよね。

さらに自分で二択のうちからどちらかを選べるので、あなたからの意見を押し付けられているという感覚も持たなくなります。ぜひ実践してみてください。

Point

相手と良い関係を作りたかったら、決断を任せすぎない配慮も大事。自分の意見はしっかり持っていこう。

Chapter 5-8 夫婦ゲンカはしちゃいけないと思わなくたっていい

——なぜなら心理学的には、怒りのガス抜きは夫婦円満の秘訣だから

配偶者との関係はポジティブにもネガティブにも自分の心に大きな影響を与えます。だからこそ夫婦関係は最優先で大事にすべきものですが、中には良い関係を維持するために不満があっても言い出すことをグッと我慢して、夫婦ゲンカを回避しようとする人がいます。

ですが、僕からするとこれは逆効果だと考えています。**むしろお互いに言いたいことを言い合ったほうが良い夫婦関係が長続きする**んです。

夫婦関係で悩む方のカウンセリングをしていると、多くの場合「パートナーに言いたいことを言えず我慢してきた」と言っています。相手に配慮して自分の意見を一方的にぶつけないようにするのは素晴らしいことですが、自分が我慢を続けているとどうしても心には小さな傷が増えていきます。

そしてとうとう我慢しきれなくなって爆発してしまい、気づいた時にはもう手遅れ、ということも少なくありません。

とはいえ、「ケンカしたら、それがきっかけで離婚することになるかも・・・」と心配になる人もいるでしょう。ここでポイントになるのは**自分の意見の伝え方**です。

ワシントン大学の名誉教授で夫婦問題の研究者であるジョン・ゴットマン博士は「怒りは夫婦関係にとって決して悪いものではなく、怒りや戦いの頻度よりも怒りに対する反応の仕方が決定的な要因になる」と言っています。

限界まで不満を溜めて感情的な言い争いになってしまうとお互いを傷つけかねませんし、どうしても建設的な話し合いが難しくなります。そうなる前に、**普段から冷静に「私はあなたにこうしてもらえると嬉しい」と伝えていく**ことが大切です。ぜひ明日からお互いの意見を言い合えるように話し合ってみてください。

【意見を伝えたほうが夫婦はうまくいく】

Point
円満な夫婦とは、いつもお互いを思いやりながらディスカッションができている夫婦。

Chapter 5-9

おもしろい話をしなきゃと思わなくたっていい

——なぜなら心理学的には、単なる雑談でも相手との距離を縮めるきっかけになるから

気になる異性がいるのに何を話したらいいか分からない、「おもしろいネタで盛り上がらなければつまらない人だって思われてしまう・・・」、そう思うと話しかけることを躊躇してしまいがちですよね。

でも心理学的には、おもしろい話をしなくたって関係を深めることはできます。だから**おもしろい話にこだわらなくたっていい**んです。

「単純接触効果（ザイオンス効果）」といって、**人はその相手と顔を合わせる頻度が多くなると相手との親密さが増していく**と言われています。あなたにも今まで好きになった芸能人の一人くらいはいると思います。おそらく、その芸能人を初見でいきなり好きになったわけではないんじゃないでしょうか。きっとテレビやインターネットで何度か見ているうちに、だんだんと「この人いいな」という気持ちが強くなっていったと思います。

これは単純接触効果が働いて、何度もその芸能人を見ているうちにあなたの好意が強くなっていったということです。

最初のうちは日常会話でも十分です。「今日はあったかいね」など当たり障りない話から始めていき、少しずつ距離を縮めていきます。慣れてきたら、お互いのプライベートな話

をする、そのようなやり方が有効です。

おもしろい話をしようと意気込むと、どうしても自分ばかりが話してしまって相手につまらないと感じさせてしまいがちですし、次第に話のネタが尽きてしまいます。

そうならないよう、日常会話から距離を縮めて仲良くなり、相手が「この人ともっと話したい！」と思ってくれれば、相手のほうから自分の話をしてくれるようになるでしょう。そうすれば、無理なく相手との親密度を上げることができます。

とはいえ、「あまりにも雑談が多すぎてもウザいと思われるのでは？」と気になるかもしれません。それはその通りで、**相手の反応を見て調整することがコツ**になります。

単純接触効果を得るには最低でも15日に1回ぐらいのペースでコンタクトを取ると仲良くなりやすいと言われています。つまり見方を変えると、**毎日頑張って雑談をしようと思わなくてもおよそ2週間に1回ぐらいの雑談で仲を深めていくことが可能**だと考えることもできます。

口下手な人でも2週間くらいあれば、「次はこんなことを話してみようかな」と話のネタを考えることもできます。あまり気負わず、スモールステップで仲良くなることを試してみてください。

Point

恋人づくりの初期で大切なのは、話のおもしろさよりも接触する頻度を増やしていくこと。

Chapter 5-10

LINEが届いても即返信にこだわらなくたっていい

——なぜなら心理学的には、相手のペースに合わせて返信するほうが好印象だから

気になっている異性から LINE が来ると「すぐに返信しなきゃ！」と思って焦ったりしますよね。好きな人とはちょっとでも多くやりとりして仲良くなりたい、その気持ちはよく分かります。でも、**実はそこで焦って返信しないほうが賢明**なんです。というのも、**その人と親密になりたかったらすぐに返信することがよいとは限らない**からなんです。

その人にとって心地いい LINE のペースは人によって全然違うものです。たとえ好きな人とであっても、毎日何度もやりとりしたい人もいれば、数日に 1 回でも十分という人もいます。LINE が来ても返信は 2 ～ 3 日後にしたいという人もいたりします。

特に相手はゆっくりペースで返したい人なのに、こちらが即座に返信をすると「この人は暇なのかな？」と思われたり、「すぐにレスが来るから、ちょっと返すの大変だな・・・」とマイナスイメージを持たれてしまうこともあるんです。

ではどうすればいいかというと、こちらが相手のペースに合わせて返信することです。心理学の**「ペーシング」**といって、**コミュニケーションにおいては相手のペースに合わせると関係が深まりやすい**と言われているんです。

具体的には、**こちらがLINEを送った時に相手から返ってくるまでの時間と同じくらい空ける**のがお勧めです。たとえば、自分がLINEを送って1時間後に相手から返信が来たら、自分もその1時間後に送り返してみましょう。

そうやってLINEを続けているうちに、だんだんと相手がどれくらいのペースで返信してくるかが分かるようになります。そのペースに合わせていけば、相手にとって大きな負担にはなりにくいんです。ちょっとしたコツですが、相手の印象は結構変わってくるのでぜひ試してみてください。

【LINEが来ても、一度返信するのを待ってみよう】

Point

LINEはガツガツしすぎないほうが、かえって近道だったりする。

Chapter 5-11

短所を見せちゃいけないと思わなくたっていい

——なぜなら心理学的には、相手に弱みを見せることは親密な関係に発展するきっかけになるから

好きな異性に何とか振り向いてもらいたいと思うと、どうしても「自分のいいところだけを見せなきゃ」と思うものですよね。「短所を見せると嫌われるんじゃないか」という心配ももちろん分かります。

恋愛には自己アピールも大事ですが、あまり度が過ぎると自慢ばかりしている人だと思われ、かえって逆効果になってしまうこともあります。**弱みだってあなたの大事な個性なので、無理して包み隠そうとしないでください。**

付き合いたての頃はお互いの長所ばかりが見えていますが、時間がたつにつれて短所も見えてくるものです。それ自体は恋愛に限らず人間関係では自然なことです。ですが、ここで大事なのは**短所も含めてお互いを好きになれるかどうか**です。

恋愛では相手に好きになってもらおうとして、「相手の好みのタイプになろう」と本来の自分とは違う性格を演じてしまうことがあります。そうなると、常に「偽りの自分」でいなければならず、関係が長くなるほどつらい思いをしやすいんです。

本当の自分はスポーツなどで体を動かすのが好きで、じっと長い間座っているのは苦手なのに、好きになった人の趣味が映画鑑賞だからといって、週末はいつも一緒に映画を観るような生活を続けるのはしんどいですよね。

もしパートナーと末永くいい付き合いをしたいなら、あなたの長所を好きになってくれる人よりも、**あなたが短所を見せても嫌いにならない人を選ぶ**ことをお勧めします。**相手の長所は時間がたつにつれて見慣れてしまう反面、短所はどんどん目につくようになりやすい**からです。

とはいえ、「弱みを見せるとマイナスイメージを持たれるんじゃないか？」と気になる人もいるでしょう。ですが、**人は完璧に見える人よりも欠点を持つ人に対して好感を持つもの**なんです。もし、スタンフォード大学卒、年収5000万、モデル並みの容姿、実家は有名な資産家、スポーツ万能、超高級車を乗り回している、みたいな人がいたら、すごいと思う反面ちょっと引いてしまいますよね。

また、社会心理学者ゲイリー・ウッドが提唱した、相手と仲良くなるための**「自己開示に適した10のテーマ」**というものがあり、その中でも**自分の弱点に関する話題で話をすることが勧められています。**

だからいい関係になりたいと思う相手ほど、自分の短所についても相手に話してみてください。

Point
本当に相性のいい相手は、短所を見せたところで関係が壊れたりはしない。

Chapter 5-12 恋人に自分以外の異性との連絡を絶たせようとしなくたっていい

——なぜなら心理学的には、無理に禁止させないほうがかえって連絡を取らなくなるから

恋人ができると自分以外の異性の連絡先を消させようとする人がいます。大好きな恋人なら、多かれ少なかれ「他の人に恋人を取られるかも・・・」って不安は出てきてしまうものですよね。ですが、**ムリヤリ相手に連絡を禁止させると逆効果になってしまうことがある**ので注意してください。

とはいえ、「連絡を禁止しなかったら好き放題に異性と会ってしまうのでは？」と思うかもしれません。でも、**「カリギュラ効果」**といって、**人は行動を禁止されると余計にやりたくなってしまうという習性**があるんです。童話の「鶴の恩返し」で「絶対にこの部屋の中をのぞかないでください」と言われているのに、おじいさんが部屋の戸を開けて中を見てしまったのはカリギュラ効果が働いている分かりやすい例です。

恋愛のスタンスは本当に人それぞれで「束縛されるのが嫌」という人もいれば「束縛してほしい」と考えている人もいます。恋人が後者のような意見を持っていて、お互いに利益があるのなら、異性との連絡を禁止するような関係があってもいいでしょう。つまるところ、**恋愛は二人がよければどんな形でもそれが正解**です。

あくまでこれは僕の個人的な意見ですが、相手が自分だけの関係に満足せず、他の異性とも関係を作りたがるようなら、本当に今の恋人との関係を続けるべきなのかを考え直したほうがいいと思います。**恋人のスマホから他の異性の連絡先を消したとしても、恋人の中にある他の異性と関係を持ちたいという欲求は消せない**からです。

恋人が自分以外の異性と関係を持とうとしているなら、恋人にはあなたとの関係に満足していない理由があるはずです。今の関係に不安があるなら、連絡を禁止するよりも相手とじっくり話し合ってみてください。あなたに誠実な思いを向けてくれている恋人なら、きっと怒ったりせずあなたに向き合ってくれるはずです。

【恋人は束縛しないほうがうまくいく】

Point

あなたとの関係に満足している恋人なら、連絡を禁止しなくても他の異性と関係を作らないし、あなたを大事にしてくれるはず。

親から結婚を反対されても諦めなくたっていい

――なぜなら心理学的には、困難を一緒に乗り越えるとパートナーとの関係性がよくなるから

大好きなパートナーを親に紹介したら、なんか親の表情がひきつっている・・・どうも親はパートナーとの結婚を賛成していない、なんてこともあったりします。「結婚は家族間の付き合いもあるから」と言われると、親の表情を見て結婚に躊躇するかもしれません。そんな時、あなたならどうしますか？

結婚で一番尊重されるべきなのは夫婦の意思です。「最悪、親との関係が悪くなるかも・・・」と親の顔色をうかがい、泣く泣く結婚を諦めたとしましょう。一時的にはそれでいいかもしれませんが、万が一あなたが後悔しても親は責任を取ってくれません。だから**「親と自分は価値観が違うだけ」ということを念頭において結婚するかどうか決めればいい**んです。

とはいえ、「親が言うように結婚生活がうまくいかないかも・・・」と不安がある人もいるかもしれません。ですが、こういう時こそ夫婦二人で協力してハードルを乗り越えていくといいんです。

「ロミオとジュリエット効果」といって、**困難を一緒に乗り越えようとする男女は恋愛感情が高まる**と言われているんです。人の本性というのは好調な時ではなく、困難に直面した時にこそ現れるものです。そのハードルをどうやって乗り越えようとするか、ぜひパートナーの姿をよく見ておいてください。あなたがその姿を見て、「この人ならこれから大変なことがあっても、きっと一緒に乗り越えていける！」と思うなら結婚を決めたらいいでしょう。

恋愛と同じく結婚生活も「常識的には」や「みんながこうしているから」ではなく**「あなたとパートナーがどうしたいか」で考えたほうがいい**と思います。

少し極端な考え方かもしれませんが、もし親がパートナー側の家族との付き合いに積極的になれないようなら、たとえば親戚付き合いは冠婚葬祭など必要最小限にとどめ、その他は基本的に関わりを持たないのもありだと思います。

お盆や年末年始に親戚が集まるのも、結局は「今までそうしてきたから」以上の理由はないことも多いです。もちろん、親戚みんなが心から集まって楽しみたいと思うのであれば何の問題もありません。ですが、「親戚はお盆や年末年始に顔を合わせるもの」という常識にとらわれる必要はないのではないでしょうか。

家族や親戚だって多様性があっていい。ぜひ結婚生活には「あなたとパートナーらしさ」を追求していってください。

Point
結婚は親がどう思うかよりも、あなたとパートナーがどうしたいかが重要。

Chapter 5-14

「子どもにご褒美をあげないと勉強をやめてしまうんじゃないか」と思わなくたっていい

——なぜなら心理学的には、ご褒美をあげないほうが子どもの勉強がはかどるから

子どもがテストでいい点を取ってくるのは親にとっても嬉しいですよね。でも何かご褒美をあげないと子どもが勉強のやる気をなくしちゃうんじゃないかって不安になる親御さんもいたりします。でも、**せっかく子どもがやる気になっているなら、ご褒美はあえてあげないほうが勉強を続けてくれたりするんです。**

人間のモチベーションには**「内発的動機づけ」**と**「外発的動機づけ」**があります。内発的動機づけというのは**それをやっていること自体がおもしろいなと思っているところから発生する動機づけ**のことです。登山が趣味な人が「山に登ること自体が好きだから続けている」なんかがこれにあたります。

一方、外発的動機づけというのは**報酬をもらう、周りから良い評価を得るなど、外部から何かを得ることを目的とした動機づけ**です。昇進や給料アップのために仕事を頑張る、などが良い例です。

そして、外発的動機づけには気をつけなければいけない落とし穴があります。実は、外発的動機づけはお金などのご褒美が得られなくなると、やる気が下がってしまうんです。

もしも子どもが純粋に「勉強がおもしろいから」という内発的動機づけでやっているところにお小遣いを与えてしまうと、次第に子どもはお小遣いのために勉強を頑張るようになります。

そうなると、万が一子どもにお小遣いをあげられなくなってしまうと、子どもは「お小遣いがないんだったらやる気にならないな」と逆にやる気がそがれてしまうんです。

子どもの中で「勉強が楽しい」という気持ちがあるなら、それを大事にしてあげるといいと思います。好きなことに夢中になっていれば、将来それが子どもの仕事にもつながっていくかもしれませんよ。

【ご褒美をあげるのはやめよう】

Point

子どもにあげるべきなのは、良い成績へのご褒美ではなく、好きな勉強を思いっきりさせてあげる環境を作ること。

うちの旦那は全然家事ができないし頼れない、と諦めなくたっていい

——なぜなら心理学的には、それでも褒めてあげるとだんだんと頼れる旦那になるから

この本を読んでくれているあなたの旦那さんはきっと素敵な人だと思いますが、中には旦那さんが全然家事をやってくれない、やったとしてもちゃんとできてない・・・なんて残念なケースもあったりします。あるいは「手伝ってくれたら嬉しいんだけど、結局自分でやったほうが早いから」と思って旦那さんを頼れない、なんてこともあるかもしれません。

そんな時は**思いっきりハードルを下げて、できたところを褒めてあげる**ようにしてみてください。そうすると、旦那さんは進んで家事をやるようになるかもしれません。
「いちいち細かく口出ししなきゃいけないのも嫌」とか「こっちが思ったほど丁寧にやってくれない」と思うと旦那さんに任せづらくなる気持ちも分かります。それだけ家事はとても大変だということです。結婚するまであまり家事をやってこなかった旦那さんであれば、奥さんから期待されるハードルを越えるのは決して簡単ではありません。

また「部屋を綺麗にしてほしい」と思っても、「綺麗・汚い」という感覚は人によって様々です。旦那さんにとっては綺麗に掃除したと思っても、奥さんから見ればまだ汚れているというケースは珍しくありません。

だから、いきなり旦那さんに完璧を求めるよりも**最初のうちはハードルを低く設定してみてください。あなたにとってはできて当たり前ということでも、旦那さんができたことを褒めてみれば、次第に旦那さん側も家事へのモチベーションが上がってきます。**

そうして「次はこうしてくれると嬉しいな」と少しずつ要望を出していけば、旦那さんも無理なく家事のレベルが上がっていくと思います。

とはいえ、「褒めたところで旦那の行動が変わるとは思えないんだけど・・・」と思ってしまう人もいるでしょう。でも実は**「ピグマリオン効果」**といって、**人は他人から期待されると作業の成果が上がる**という傾向があるんです。

つまり、今はあまりできていなくても、**少しずつでも家事ができるようになると期待して旦那さんと接したほうが、実際に家事ができるようになりやすい**ってことなんです。

「私だって仕事で疲れてるんだからこれくらいやってよ！」と言いたくなるかもしれませんが、相手を無理に変えようとするときっと反発されてしまいます。一方、「皿洗いをやってくれるなんて優しいのね！嬉しいわ！できればぬれた皿を綺麗に拭いてくれるともっと嬉しい！」と言えば、旦那さんは喜んでもっと家事をやってくれるようになると思います。

Point

大人だって大抵の人は怒られるよりも褒められるほうがモチベーションになりやすい。

Chapter 5-16 「好きな男性の前で他の女性を褒めちゃいけない」と思わなくたっていい

――なぜなら心理学的には、他の女性を褒めたほうがあなたの印象がよくなるから

意中の男性の前で他の女性のことを褒めると、相手の気持ちがその女性に向いてしまうんじゃないかと心配になる人がいます。

好きな人に振り向いてもらいたいというのは当たり前の感情ですし、心のどこかで「他の人と付き合ってしまうかも・・・」と不安になるものですよね。

ですが、もしその男性に振り向いてもらいたかったら、他の女性を悪く言わないほうがいいですし、むしろ**その他の女性を褒めるほうがあなたの印象はよくなる**んです（ちなみにこの話に性別はあまり関係なく、男性と女性を入れ替えても成立します）。

人は悪口を言う人に対してあまり良い印象を持たないものです。あなたが他人の悪口を言っていると、聞いている相手は「いずれ自分も同じように言われるんじゃないか・・・」と気になってしまうんです。

きっとあなたは良いところがたくさんある魅力的な人なのに、そんなふうにネガティブな評価をされてしまうのはなんだか損ですよね。

とはいえ「わざわざライバルを褒める必要もないんじゃない？」と思う人もいるかもしれません。これは少しずるい方法かもしれませんが、**実は他の人を褒めていくと自分にもポジティブな印象を持ってもらいやすい**んです。

心理学の**「自発的特徴変換」**といって、**あなたが口にした第三者の特徴や印象というのは、聞き手にとってはあなたの特徴や印象に置き換わりやすい**という現象があるんです。

これをうまく利用すれば、あなたが「Aさんって明るくてすごくいい人だよね」と言ったとすれば、聞き手はあなたのことを「明るくてすごくいい人」だと無意識に思いやすいんです。

恋愛に限ったことではないですが、他人の悪口を言うと短期的にはスッキリしたとしても、長期的には人間関係を悪くするなどデメリットが多いです。なので、悪口を言うよりも良いところを見つけてそこを褒める癖をつけてみてください。

Point

意中の人に振り向いてほしければ、ライバルを批判するよりも褒めたほうが効果的。

Chapter 5-17

自分なんてつまらない人間だと恋愛を諦めなくたっていい

——なぜなら心理学的には、最低限の身だしなみを整えるだけで恋愛に発展する可能性がアップするから

自分なんて他人にはないすごい経験なんてしてないし、相手を楽しませるような話術もない・・・。

そんなコンプレックスを持っていると、気になる異性がいてもアプローチできなかったりしますよね。そうやって躊躇しているうちに、気がつけば気になる相手に恋人ができてしまった、そんな体験を積み重ねると、だんだんと次の恋愛に積極的になれなくなってしまうのも無理はありません。

でも、そこで諦める必要はないのです。**人は見た目から受ける印象がとても強いので、外見を整えるだけでもあなたの好感度は上がります。**まずは外見を変えることで相手に興味を持ってもらうきっかけを作っていけばいいんです。

とはいえ、「高い洋服や化粧品を買ったり、整形するお金なんてないよ」って人も多いでしょう。安心してください、別に身の丈に合わない服を着たり、高い整形代を払ってイケメンや美女になる必要はないんです。

実は、恋愛において見た目で大切になるのは**清潔感**なんです。もし、あなたがいつも身に着けている服や靴が３年以上前のもので、もうくたびれてしまっているならぜひ買い替えてみてください。高い整髪料を使う必要はないので、外出する時は寝癖を直して髪型をきちんと整えてみてください。それだけでも他人からの印象はグッとよくなります。

見た目の重要さについては心理学の有名な法則があります。**「メラビアンの法則」**といって、**人は他人とコミュニケーションを取るとき、言語・聴覚・視覚の3つの情報から相手を判断している**んですが、その割合は**視覚が55%、聴覚が38%、言語情報が7%**と言われているんです。人がいかに視覚で相手の印象を決めているかということが分かりますね。

僕の知り合いで20代女性のミウラさんは見た目はかわいらしく、とても優しい方でした。ある日、ミウラさんの共通の知人である男性数人と食事をしていた際にミウラさんのことが話題になりました。彼女がいない人も何人かいたので「ミウラさんってどう思う？」みたいな話も出ていました。

その時、ある人が「たしかにかわいいんだけど、いつも着てるカーディガンとかヨレヨレなのがちょっとね・・・」と言い、他の男性たちも「あー、そうだよね」と共感していたようでした。見た目だけで人を判断するのがよいとは言えませんが、ミウラさんは良いところもたくさんあるのに、なんだかもったいないなと思ったのを覚えています。だから、見た目を整えていったほうが恋愛はうまくいきやすいんです。

Point

清潔感は恋愛での最強の武器。

Chapter 5-18 「好きだとアピールすると引かれるんじゃないか」と思わなくたっていい

——なぜなら心理学的には、人は好意を向けられると相手も好意を返したくなるものだから

好きな人ができたけど、ぐいぐいアピールしたら引かれて嫌われるんじゃないかって心配してしまう人は多いです。たしかに押しが強すぎたり、しつこく迫ったりするのはマイナスイメージになることもあります。

でもこうしている間に別の人に取られてしまったら、と思うと余計に焦ったりしてしまいますよね。特に男性の場合、「男から積極的にどんどんいくべき」と「がっついている男は嫌われる」と相反する意見を聞くので、線引きが難しいです。そんな時は**その人に笑顔で話しかけたり優しくしたりするだけでも相手からの好感を得られる**ものなんです。

「好意の返報性」といって、**人は好意を向けられると相手のことが気になり好意を持つようになりやすい**と言われています。あなたは今まで特に気にしてはいなかったけど、相手から好きアピールをされたのをきっかけに相手のことが好きになった、という経験はありませんか？これは恋愛ではよくあることで、好意の返報性が働いた典型的な例です。

ここでいう「好意を向ける」というのは何も特別な行動をすることではありません。まずは**相手と話す時に笑顔を向ける**ことから始めてみるとよいです。**笑顔は「あなたが好きで**

す」というアピールの象徴なので、自然に相手に好意を伝えることができます。

また**相手が困っていれば率先して手を貸す**など、親切にしてみてください。そうするうちに、自分の好意が相手に伝わり、相手からも好意が返ってくる可能性が高まります。

「アピールしなきゃ！」と無理をするのではなく、あなたにできるところから好意を伝えてみてください。遠回りなようですが、結果的にそのほうがうまくいったりするものです。

【好意は思いっきり伝えよう】

Point

恋愛は肩の力を抜いていくくらいがちょうどいい。

Chapter 5-19 イケメンじゃなくても美人じゃなくても自信を持っていい

――なぜなら心理学的には、性格がいい人のほうが長い目で見て魅力的だから

「美人な友達の○○ちゃんは彼氏と別れても、またすぐに新しい彼氏ができる、なのに自分はそろそろ彼氏いない歴２年か・・・」

常に彼氏がいる美人とうまくいかない自分を比較して自信を失ってしまうことって珍しくありません。どうにもならないって分かっていても「何で自分は美人に生まれなかったんだろう・・・」って、自己嫌悪に陥ってしまうこともありますよね。

たしかにルックスの良い人は初対面で好印象を持たれて、恋愛にも発展しやすい傾向があるのは事実でしょう。ですが、必ずしもルックスが良いからといって、その後も良い恋愛関係を作れているとは限りません。つまり、**恋愛においてはルックス以上に大事な要素もある**ということです。

先ほどの例について別の見方をしてみましょう。美人な友達の○○ちゃんに「別れてもすぐに新しい彼氏ができる」というのは何を意味しているのでしょうか。これって「すぐに彼氏はできるけど、あまり長い間恋愛関係を維持できてない」とも言えますよね。

実際、僕の知り合いにも一見モテていていろんな彼氏と付き合っているけど、よくよく話を聞くと1年以上同じ人と続いたことはない、みたいな人も少なくありません。ルックスは付き合うきっかけにはなっても、付き合う期間が長くなるほどルックスの重要性は薄まってくると考えられます。

実際、テキサス大学が人の魅力度と恋愛関係の関連性について調査したところ、最初のうちは被験者のうちルックスの良い人が好印象を持たれていましたが、3カ月後に同じ人たちを調査してみると**性格の良い人とルックスの良い人とでは魅力度に大きな違いがなくなる**、ということが分かっています。

たしかに初対面の時はルックスのいい人が有利ではありますが、それはルックスくらいしか相手の判断材料がない時期だからです。**相手のことを知れば知るほど、ルックスよりも相手の内面のほうが重要になっていく**というわけです。

もちろん、最低限の身だしなみを整えることは大事ですが、どんな見た目であろうと人間性が合わなければ恋愛は長続きしません。**その事実を分かっている相手なら、たとえあなたが美人やイケメンではなかったとしても、あなたの素敵な人間性を見て、そこを好きになってくれるはず**です。だから自分のルックスに執着して恋愛を諦めないでください。

Point

ルックスの良い人がモテるのは最初だけ。自分らしく生きていれば、きっとあなたを好きになってくれる人が現れる。

Chapter 5-20 好きな人のことは何でも否定しちゃいけないと思わなくたっていい

——なぜなら心理学的には、素の自分を出せるほうがお互いにとって良い関係になれるから

好きな人に嫌われたくなくて、相手の意見は全て否定しちゃいけないと思っている人がいます。もしあなたと相手の意見が常に100%一致するならそれでもうまくいくでしょう。

ですが、どんなに相性の良い人とだってそんなことはありえませんよね。

相手の意見に合わせるというのは、時に自分の本音とは違うことを言わなきゃいけなくなるということです。最初のうちはよくても、だんだんと付き合っていくうちにあなたが苦しくなってくるかもしれません。

だから**良い関係を作っていくためにも、なるべく自分の本音を隠さないほうがいい**んです。

とはいえ、「相手を否定したら嫌われるんじゃないか？」と心配になる人もいるかもしれません。たしかに、相手の意見を全否定してしまうような言い方はお勧めできません。

また、「いや、でも」のような口癖も「あなたの意見を否定する」というメッセージとして解釈されやすいので使わない

ほうがいいと思います。

一方で、相手と違う意見を言うこと自体は何も問題ありません。この時のコツは**相手の言葉をいったん肯定し、その後に自分の意見を言うことです。**

たとえば、自分はあまり犬が好きじゃないけども、相手は犬が大好きだと言っていたら、「○○さんは犬が好きなんだ。私はちょっと犬が怖いんだけど、○○さんは犬のどこが好きなの？」と質問すればいいんです。

こうすれば相手は否定されたとは思わないですし、**「この人は、自分のことを理解しようとしてくれている」という思いを持ってくれます。**

自分の本音を隠して相手と付き合っていると、いつか無理が来てしまいます。ですが、あからさまに相手を否定するような言い方をすれば不快にさせてしまうので、言い方を一工夫するだけで人間関係はとても楽になりますよ。

Point

好きな人にうそをつかないことも大事だけど、自分の気持ちにうそをつかないことはもっと大事。

Chapter 5-21

「パートナーにはとことん尽くさなきゃ」と思わなくたっていい

——なぜなら心理学的には、パートナーには程よく尽くすほうが良い関係になるから

好きな人に尽くしたい、優しくしたい、そんなふうに考えるのはとても大切なこと。きっとパートナーも喜んでくれるはずです。

でもパートナーを優先しすぎて、自分の気持ちをおろそかにしてしまっていませんか？たとえば、夜遅い時間にもかかわらず「今から会える？」と連絡が来たらタクシーで相手の家に行ってしまう、散らかっている相手の部屋を掃除したのに「ありがとう」とも言ってもらえない、なんて人もいます。

本当にパートナーと良い関係を続けたいなら、**あなたが自分をすり減らしてまで相手に尽くすのはやめたほうがいい**です。

相手に尽くしたくなる時って、実は自分の中に大きな不安があったりします。好きな人と付き合えたのはいいけど、嫌われたくないと思って焦っていたり、自分に自信がなくて「とにかく相手に尽くさないと捨てられてしまうんじゃないか」って思ったりします。

つまり、相手に尽くす目的が「相手のため」を通り越して「自分のため」になっていたりするんです。自分が傷つかないように、相手に嫌われないように、相手から捨てられないようにするために相手に尽くしているんです。

恋愛をしていれば誰でも多かれ少なかれ不安な気持ちにはなります。だからこそ、**恋愛が上手な人はパートナーと一定の距離感を保って、相手に尽くしすぎないように気をつけているもの**なんです。

とはいえ、「パートナーに尽くさなくなったら嫌われるんじゃないか？」と思う人もいるでしょう。ですが、恋愛上手な人ほど、**自分の余裕というコップに十分に水を満たし、そこからあふれた分だけ尽くしているものです。**

人間はどうしても慣れてしまう生き物です。人によっては最初は尽くされてありがたいと思っていても、何度もされているうちにそれが当たり前だと感じてしまいます。そうなると「これだけ頑張って尽くしているのに、相手の気持ちは全然こっちに向いてくれない」とますます不安になってしまいますよね。

だから、**精神的に疲れるまで自分を犠牲にして相手に尽くす必要はないですし、相手に尽くすとしても大きな見返りを期待しないほうががっかりせずに済みます。**

自分を犠牲にしてまで尽くさないとつなぎ留められない関係なら、そういう人とは距離を置いたほうがいいのかもしれません。自分に余裕のある分だけ優しくして、その上で関係を維持できる人を大事にしましょう。

Point

あなたが無理なく尽くしていけて、尽くされていることを当たり前だと思わないパートナーを大事にしよう。

Chapter 5-22

大丈夫じゃないのに無理して大丈夫と言わなくていい

——なぜなら心理学的には、素直に大丈夫じゃないと言ったほうがサポートを得やすいから

「大丈夫」という言葉には男性と女性で意味合いが違う傾向があります。相手に何か気になる様子があって「大丈夫？」と聞いた時、男性の大丈夫は「何でもないよ、本当に大丈夫だよ」という意味で使われます。一方、女性の場合は「本当は大丈夫じゃないからそれを察してほしい」が本音だったりするんです。

「大丈夫じゃない」と言いづらいのも仕方ないことです。ですが、**本当にあなたが助けてほしいと思っているのなら、自分でその気持ちを伝えたほうが楽になりやすい**んです。

これがなぜかというと、相手によっては「そうか、本当に大丈夫なんだ、ならいい」という解釈をして、それ以上話を深掘りしないからです。全ての人がそうだとは言いませんが、僕は男性のほうが相手の言葉をそのまま素直に受け取り、女性は相手の言葉の裏にある真意を読み取ろうとする傾向があるという印象を持っています。

これは男性と女性どちらが良い、悪いという話ではありません。単に性別によってコミュニケーションの取り方には違いがあり、そのため異性間ではズレが生じやすいというだけです。ただ、このことが分かっていないカップルは、女性側

が「私のことを何にも分かってくれない！」と不満に思っている一方、男性側は「言ってくれなきゃ分からないよ！」とモヤモヤしてすれ違いになりやすいので注意が必要です。

だからこそ「お互いが性別の違いを理解して歩み寄る努力をすること」をお勧めしたいです。女性は無理して大丈夫と言いがちなので、**あなたが男性なら「本当に大丈夫？何かあるなら聞かせて」と言ってみたらいい**でしょう。

男性はどうしても「察する」ことが苦手だったりするので、**あなたが女性であれば、サポートが必要であると本音を打ち明けたほうが手助けを得やすくなります。**だから、無理して大丈夫だよとは言わなくていいんです。

【つらいときはつらいと言おう】

Point

「大丈夫」には性別の違いによる落とし穴が潜んでいるから注意しよう。

Chapter 5-23

結婚しようと焦って大人数のお見合いパーティーばかり行かなくてもいい

——なぜなら心理学的には、少人数の中から選んでいくと関係が発展しやすいから

「早く結婚するためにたくさんの人に会わなきゃ」と思って、大人数のお見合いパーティーに参加したことはありませんか。決してそれが悪いわけではありませんが、人数が多すぎるとかえって自分に合う人を選ぶのが大変になることもあります。だから、**出会いの場はあえて少人数にしておいたほうが恋愛関係に発展しやすかったりします。**

参加人数が多いと、どうしても一人ひとりと会話する時間が短くなってしまいます。そうなると、お互いのことをよく知らないままパーティーが終わってしまったりします。本当は自分と相性の良い人がいたのに、そこで結婚するチャンスを逃してしまうのはもったいないですよね。

大人数のパーティーに行っているのにうまくいかないなら、**もう少し人数の少ないところで一人ひとりとじっくり話をするほうがかえって恋愛関係に発展しやすくなるかもしれません。**

とはいえ、「参加者が多いほうがいい人を引き当てる確率も高いのでは？」と思う人がいるかもしれません。ですが、人は必ずしも選択肢が多いから良い選択ができるとは限らないんです。

「選択回避の法則」といって、**人は選択肢が膨大だとそれを**

比較検討して選ぶまでにストレスを感じ、選ぶことが難しくなる傾向があるんです。

これについて、とある有名な社会心理学の実験を紹介します。あるお店に２つのジャムの試食コーナーを作りました。一つは６種類のジャムの試食コーナー、もう一つは24種類のジャムの試食コーナーです。この２つのコーナーのうち、お客さんがたくさんジャムを買ってくれたのはどちらかを比べました。その結果、６種類のコーナーは30%の購入率だったのに対し、24種類のコーナーはわずか3%だったんです。

豊富な種類のジャムがあれば「どれにしようかな」と選ぶ楽しみが増えて購入率も上がると思うかもしれません。でも実際には**選択肢が多すぎると「Ａのここはよいけど、Ｂも捨てがたい、でもそれならＣでもよい気がするし・・・」と比較して選び取ることが大変になり、かえって決められなくなってしまう**、ということが分かったんです。

だから一度に会う人数は少なくして、自分に合う人がいなかったらまた別の機会を狙ったほうがストレスは少なくて済みます。大人数のお見合いパーティーでなかなかいい相手に出会えない人は、知人からの紹介など地道な出会いを試してみてください。

Point

一人ひとりとじっくりコミュニケーションを取って、一生の相手として大丈夫かどうか考えたほうが、かえって幸せな結婚への近道だったりする。

Chapter 5-24

手作りの料理にこだわらなくていい

——なぜなら心理学的には、料理も時代の変化に合わせたほうが無理なく継続できるから

子育てを終えた世代の人たちの中には「母親は毎日愛情を込めた料理を作らなきゃ子どもがかわいそう」と言う人がいます。

でも、仕事が終わって帰宅してから家事をこなすって親御さんにとってすごく大変ですよね。今は低価格で体にもよく、美味しい総菜や冷凍食品がたくさんありますし、**無理に手料理にこだわる必要はない**と思います。

労働政策研究・研修機構の調査によると、1990年における共働き世帯の数は823万世帯だったのに対し、2020年には1240万世帯に増加しています。また、専業主婦世帯はこれに反比例するように減少しているんです。

このように**専業主婦が減って、共働きが増えていることで、子育てを取り巻くジェネレーションギャップが出ている**んです。世の中のお母さんの大半が専業主婦だった頃とは違い、現代のお母さんは毎日手作り料理を作れる時間的な余裕はない人が多くなっています。

子育てを終えた世代の人たちの中にはそうした状況を十分に理解しないまま「手作り料理が良い」という固定観念を持っ

ているだけだったりします。

なぜなら、総菜や冷凍食品でもいいよねと肯定してしまうと、自分たちが頑張って手作りの料理を振る舞ってきたという努力が否定されてしまうような気がするからです。

仮に当時専業主婦をやっていた人たちが、現代で働きながら手作り料理を作れと言われたら、きっと苦労するでしょう。

でもそんなことはまず起きないから、現代の親御さんの苦労が分からずに批判しているだけなんです。

ひどく栄養の偏りが出てしまうのは考えものですが、そうでなければ手作りの料理にこだわる必要はありません。**あなたの貴重な時間をお金で買うという選択肢も大事なこと**です。

Point

母親の味がインスタント食品だったとしても、子どもは十分に愛情を受けて成長することができる。

Chapter 5-25

完璧な親を演じようとしなくていい

——なぜなら心理学的には、完璧な親よりほどほどの親のほうが幸せになりやすいから

「子どもに情けない姿は見せられない」とつい無理をしてしまう親御さんがいます。もちろん子どものために頑張るのは大切なことです。ですが、親だってスーパーマンではないので、親のできることには限界があります。**できないことはできないと言って、親も十分に休息を取ることが大事**なんです。

「子どもになめられないよう親の威厳を見せなきゃいけない」と本当は疲れているのに無理をしていませんか。でも毎日仕事に行き、くたくたになってから家に帰って家事をする、それって**誰にでもできることじゃない重労働**なんです。

親のエネルギーだって無限ではないし、疲れているとダメだと思いつつもつい子どもを大きな声で叱ってしまうこともありますよね。そんな時は休んだほうが良いサインだと思って、ぜひ休憩を取ってください。

とはいえ、「親の不完全な姿を見せるのは子どもをがっかりさせるのでは？」と心配になる人もいるかもしれません。ですが、イギリスの小児科医、精神科医であったD・W・ウィニコットは**「完璧な母親よりもほどほどの母親」**と提唱しており、適度で無理のない子育てを推奨しています。

子どもの頃の親は完璧な存在に見えるものですが、成長す

るにつれて「親にもできないことや限界がある」という事実を知ることになります。それによって「**どんな人間でも完璧な存在ではないんだ**」という現実的な認識を持つと言われているんです。

そういう認識を持っていれば、自分も相手に過剰な期待をせず思いやりを持った対応ができるようにもなりますよね。これは子どもが大人に成長するプロセスにおいて、とても大切な気づきなんです。

僕が以前お会いした20代女性のサクライさんはすごく自分に厳しい人でした。3歳の娘さんには毎日温かい手作りのご飯を作ってあげなければと思っていました。でも、サクライさんは体調が悪い日も多く、思ったような料理を作ることはできませんでした。

なので、まずは完璧にはできない自分を許してあげるところから始めてみました。具体的には、週に1回はファストフードを利用して、自分に負担をかけないようにしました。娘さんにとってはたまに食べる牛丼も美味しかったようで、「そんな日があってもいいんだな」って思ったようです。

子どもに栄養のあるご飯を用意し、清潔な家を保ち、たっぷりと睡眠を取らせる、それだけでも十分です。母親業だって頑張りすぎず、ほどほどくらいでちょうどいいんです。

Point

完璧でなくたっていい。母親だって適度に手を抜くことが大事。

おわりに

本書をお読みいただきありがとうございました。

「こうしなきゃ」という妄想を手放して自分らしく生きるためのヒントについて、100項目にわたって僕の知識と経験を詰め込みました。何か一つでもあなたの役に立てたら嬉しいです。

あなたは自分の人生に対して「今、最高に幸せ！」だと自信を持って言えますか？もし答えがYesじゃなければ、今が「こうしなきゃ」を手放す時なのかもしれません。

就職した会社で上司から指示された仕事に励んでいれば、定年後には年金をもらって暮らせる。そのため、なるべく会社で波風を立てないように、上司から多少理不尽なことを言われても「我慢するのも仕事のうち」と思って作り笑顔でやり過ごす。

会社に入って出世することが世の中の成功モデルだった時代は、言いたいことを言わず不満を抱えながら生きていってもある程度の幸せをつかむことができました。ですが、インターネットの発達により、自分らしい生き方の選択肢は莫大(ばくだい)に増えています。

「本当はもっと自由に生きたい」という気持ちと引き換えに、

世の中の常識に従ってみんなと同じようにしていれば幸せになれる、という時代は終わりつつあります。

生き方が多様化した現代では、自分のやりたいように生きている人がたくさんいます。会社に所属せず誰に指示されることもなく自分がやりたい仕事に打ち込んでいる人。上司から評価されることよりも、市場から求められる人材になるために副業でスキルを磨いて「こんな会社、その気になればいつだって辞められるんだからな！」という強気な姿勢で仕事をしている人。

これらの人々に共通するのは「こうしなきゃ」の妄想を手放すために、一歩踏み出す勇気を出したことです。今は誰でも自分らしく生きられる時代になっている、なのに自分がその生き方を選ばないのはもったいないと思いませんか。

人が死ぬ間際に最もよくする後悔は「**もっと自分に正直な人生を送ればよかった**」だそうです。常識や世間体に縛られて「本当はこうしたい」という自分の望む人生を生きられなかったことは、心に深い後悔として残るものです。

他人からの期待に応えるための人生、どこかの誰かが作った常識にとらわれた人生、そんな生き方をしていると数十年たった後に後悔するかもしれません。

この本を読んでいて「こんなのはただの理想論だ、綺麗事だ」とか「そうはいっても夢物語を語っててもダメだから、目先の現実のことを考えないと」と思った人もいるかもしれません。かつての僕なら同じように考えたでしょう。でも、気づいたんです。

「**自分にうそをつきながら生きていたってちっとも幸せにはならないし、"現実を見なきゃ" とか言ってるうちにあっという間に年を取ってしまう**」って。

「周りと同じように、とにかく堅実な人生を送りたい」と思って、病院や保健センターで仕事をしていた時期もあったんです。たしかに、安定した身分を保障されて、毎月決まった額の収入が得られる安心感はありました。

でもふとした時に「自分は何が楽しくて生きているんだろう・・・」とむなしい気持ちになっていました。そんな自分の人生を変えるために仕事を辞めて、今はフリーランスの臨床心理士として自由に生きています。

不安なこともたくさんありましたが、多くの方にYouTubeで動画を観てもらえて、ありがたいことにこの本を出版するお話もいただきました。僕は人生の方向転換を決めた過去の決断を少しも後悔していません。

ほとんどの人が「こうしなきゃ」を手放す前から「自分には無理だ・・・」と諦めてしまっています。現状を変えるのは誰でも怖いことです。だから、何か大きな決断をする時に多くの人は躊躇してしまいます。

将来のリスクについて考えておくのは大事なことです。ですが、「将来どうなるか分からないから」を理由に行動しない選択をするのはもったいないと思います。これだけ変化が早くなった時代にいくら先のことを考えていたって、10年後、20年後にどうなっているかは正確に予測できるわけありません。

だから、大切なのは**「自分がどうありたいのか」を考えて、目の前にあるものに取り組むこと**だと思います。

今の仕事に不満があり、やりたいと思う仕事があるならすぐに転職に向けて準備を始めてください。副業としてやってみるのもいいでしょう。一時的には収入が下がったとしても、あなたが自分らしく仕事をしていけるなら、きっと心の幸福度が高まるはずです。

国内でも海外でも、行きたいところがあるなら「お金ができてから、時間ができてから」なんて言わずにすぐに行ってください。老後になってから行こうと思っても、その時には体の自由が利かず「若いうちに行っておけばよかった」と思ってしまうかもしれないからです。

会いたい人がいるならすぐに連絡を取って会う約束をしてください。時間がたてばたつほど人の状況は変わるもので、いつでも会えるとは限りません。そして、あなたがその人に心の底から伝えたいと思うことを伝えてみてください。

今日があなたにとって人生で一番若い日です。何かをするのに遅すぎるということはありません。本書をきっかけに、あなたが「自分にとっての幸せは何か」を改めて考え、明日からの行動につなげてもらえたら幸いです。

2021年10月　るろうに

参考文献

- Ball, Richard J. and Chernova, Kateryna『Absolute Income, Relative Income, and Happiness』
- 山本竜也 , 坂井誠『反すうと心配の回避機能についての検討―考え込みと反省的熟考の差異―』
- Hal E. Hershfield, Cassie Mogilner, Uri Barnea『People Who Choose Time Over Money Are Happier』
- 内田由紀子 , 遠藤由美 , 柴内康文『人間関係のスタイルと幸福感：つきあいの数と質からの検討』
- 上市秀雄 , 楠見孝『後悔の時間的変化と対処方法―意思決定スタイルと行動選択との関連性―』
- Gilovich, T., & Medvec, V. H.『The temporal pattern to the experience of regret』
- キャロル・S・ドゥエック『マインドセット ――「やればできる！」の研究』
- Natalia Sarkisian,Naomi Gerstel『Does singlehood isolate or integrate? Examining the link between marital status and ties to kin, friends, and neighbors』
- Eastwick, P. W., & Hunt, L. L.『Relational mate value: Consensus and uniqueness in romantic evaluations』
- 岸見一郎 , 古賀史健『嫌われる勇気 自己啓発の源流「アドラー」の教え』
- 岸見一郎 , 古賀史健『幸せになる勇気 自己啓発の源流「アドラー」の教え II』
- 総務省『青少年のインターネット利用と依存傾向に関する調査』調査結果報告書

著者略歴

るろうに

臨床心理士・公認心理師。大学院修了後、国立医療機関の精神科や保健センターで延べ3000件以上のカウンセリングを中心とするメンタルヘルスの支援を実施。地域の病院や民間団体の依頼を受けて講演会の講師にも従事。現在はフリーランスとして活動を行っている。これまでの経験から、働く人のメンタルヘルスに役立つ心理学の知識をSNSで配信している。職場の人間関係で出てくる悩みを克服するヒント、メンタルを病まないための考え方、幸せな人生を送るための心理学的なコツなどを伝える。モットーは『悩んでいる人に行動する勇気を与える』。
2019年10月からYouTubeチャンネル『心理カウンセラー るろうに』で「ためになるメンタル系の情報」を発信し、現在チャンネル登録者数 12万人。

心理カウンセラーYouTuberが教える 1秒で不安なくなる大百科
あらゆる「悩み・ストレス・疲れ」を吹き飛ばすリスト100

2021年10月8日 初版第1刷発行

著　者 るろうに
発行者 小川 淳
発行所 SBクリエイティブ株式会社
〒106-0032 東京都港区六本木2-4-5
電話：03-5549-1201（営業部）
装　丁 西垂水 敦・市川さつき（krran）
本文デザイン 八木麻祐子（Isshiki）
DTP 株式会社RUHIA
イラスト さかたともみ
編集担当 水早 將
印刷・製本 中央精版印刷株式会社

本書をお読みになったご意見・ご感想を
下記URL、またはQRコードよりお寄せください。
https://isbn2.sbcr.jp/11798/

ISBN978-4-8156-1179-8